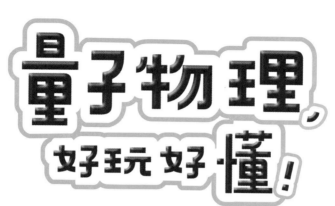

量子物理，好玩好懂！

④ 原子弹的秘密

量子物理，好玩好懂！

好玩好懂！

④

原子弹的秘密

[韩]李亿周◎著 [韩]洪承佑◎绘 王忆文◎译

北京科学技术出版社
100 层童书馆

　　小朋友们，大家好。我是漫画家洪承佑。

　　我从小就很崇拜科学家。科学家研究宇宙万物（包括我们生活的地球）是如何形成和运作的。

　　假设我们面前有一个苹果，我们先将它对半切开，再分别对半切开，一直这样对半切下去，直到不能再切，会得到什么呢？

　　答案是原子。原子是构成物质的一种基本粒子。

　　量子力学研究的就是物质世界中像原子这样的微观粒子的运动规律。

　　早在古希腊时期，人们就对微观世界产生了疑问并充满了好奇。数千年来，科学家一直在研究原子，现在已经知道原子里面有什么，以及它们是如何运动的。但我们还需要进一步研究。

　　你们是否好奇历史上都有谁产生过疑问，以及他们分别是如何进行研究的？让我们通过漫画来了解科学家研究科学现象的故事，一起学习原子世界的物理定律。在这套书中，我们的好朋友郑小多将穿越时空，带领你们去探究原子的世界。

　　大家准备好和小多一起走进肉眼看不见的微观世界了吗？

　　出发！

洪承佑

　　要是没有手机和电脑，大家的生活会是什么样的呢？也许你们会觉得好像回到了原始社会。

　　很多让我们的生活变得便利的科学技术都离不开量子力学。手机和电脑中半导体的工作原理就要通过量子力学来解释。

　　科学史上有两个年份是"奇迹年"。

　　第一个年份是1666年。这一年，牛顿发现了万有引力定律和牛顿运动定律，解释了苹果落地的原因和月球运动的规律。

　　第二个年份是1905年。这一年，爱因斯坦发表了通过光子解释光电效应现象的伟大论文，为量子力学的建立奠定了基础。

　　牛顿运动定律可以解释肉眼可见的宏观世界，而量子力学则可以解释肉眼看不到的微观世界。

　　完全理解量子力学是一件非常难的事。

　　但只要拥有好奇心，你们就可以了解物质是由什么构成的，以及微观粒子是如何相互作用的。

　　好奇心是科学进步的基石。这套书讲的就是那些怀着好奇心探索物质世界的科学家的故事。从古希腊哲学家德谟克利特到成功完成量子隐形传态的安东·蔡林格，我想借由这些对量子力学做出贡献的科学家的故事带领大家进入微观世界。

李亿周

目　录

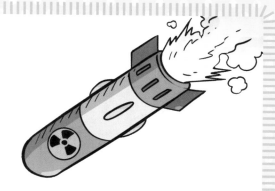

原子弹是怎么造出来的?

炸弹来了!
快躲起来!

登场人物

郑小多+金敏书+Mix
充满好奇心的三剑客，
一起穿越时空，进行量子力学大冒险

小多的家人
相亲相爱的一家人，
聚在一起时到处是欢声笑语

身份不明的可疑人物
妨碍穿越的可疑人物，
他们到底是什么人？

伽利略·加利莱伊

意大利物理学家

(1564—1642)

保罗·埃伦费斯特

荷兰籍奥地利物理学家

(1880—1933)

乔治·伽莫夫

美国物理学家

(1904—1968)

马克斯·普朗克

德国物理学家

(1858—1947)

莉泽·迈特纳

奥地利物理学家

(1878—1968)

罗伯特·奥本海默

美国物理学家

(1904—1967)

爱德华·特勒

美籍匈牙利物理学家

(1908—2003)

恩里科·费米

美籍意大利物理学家

(1901—1954)

朝永振一郎

日本物理学家

（1906—1979）

经典力学

飞舞

今天我们来学习运动定律。

第一话
伽利略的自由落体实验

老师，您说的运动定律是牛顿运动定律吗？

是的。敏书同学，第一运动定律是什么？

第一运动定律是适量定律！运动过量容易疲劳！

哇

哈

哈

厉害！

转

你们以为我会这么回答吧?

唰

第一运动定律是惯性定律。

飞驰的公共汽车猛然刹车时,乘客们会往前倒,这个现象就体现了惯性定律。

嘎吱

啊!

好厉害啊!

反转的魅力!

犀利的问题

那么……什么是惯性呢?

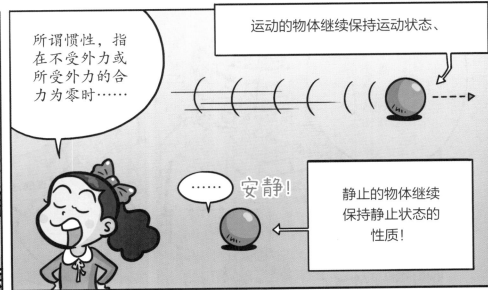

所谓惯性,指在不受外力或所受外力的合力为零时……

运动的物体继续保持运动状态、

……安静!

静止的物体继续保持静止状态的性质!

二运动定律？第？

很好！那么第二运动定律呢?

是坚持运动！不能三天打鱼，两天晒网。

哎呀，太无厘头了！

期待 期待

好，期待你的反转。

这个我真的不知道。

能弄懂惯性已经非常厉害了。敏书同学很棒！

嘿嘿

哐

你这是干什么?

我来回答。

你举手就行了，怎么还跑桌子上了……

我就想试试。

第二运动定律是加速度定律。

物体质量一定时，受到的力越大，产生的加速度就越大。

较小的力

较小的加速度

较大的力

较大的加速度

第二运动定律可以用下面的公式表示……

力　　质量　　加速度

$$F = m \times a$$

就是这样。

喔！

哇！

耀眼！

厉害！

晕。

第三运动定律是作用与反作用定律。

我们用多大的力去推物体，物体就用同样大小的、反方向的力推我们。

即，一个力发挥作用时，一定会产生一个大小相等、方向相反的反作用力！

哎呀！

哇！他怎么什么都知道？

11

嘿嘿!

我承认你很聪明,但也不用这么得意吧……就不能谦虚点儿吗?

学习了以这三大运动定律为基础的经典力学,我们就能解释宇宙中的所有现象!

老师,这些运动定律在原子的世界中并不适用啊!

经典力学的运动定律在原子的世界中也成立!

什么?!

我没听错吧?

挠挠

可是老师,像电子这样的粒子,我们不能同时准确地知道它的位置和动量!

因为有海森堡不确定性原理!

那是!

爱因斯坦都没有接受量子力学的哥本哈根解释。

这是为什么呢？因为量子力学纯属胡说。

胡，胡说……？怎么可能！爱因斯坦后来肯定也后悔了！

量子力学只会让世界变得更混乱。伽利略或牛顿如果知道有量子力学，肯定也会这么想。

下课！

转

晕！

真不敢相信！老师竟然说量子力学纯属胡说……

没想到科学老师会这么说。看来他是彻底的经典力学信奉者。

老师今天确实特别执着。

听说过去也有人不喜欢量子力学。

为什么呢?

他们和科学老师一样,坚信伽利略和牛顿的理论不容置疑。

请拯救我们吧!

但能证明量子力学正确的证据已经有很多了!

呜

真想见见伽利略或牛顿,听听他们怎么说。

我也想,但是这也由不得咱们呀!

嗖

他俩马上就会穿越。

您怎么知道?

我今天在课堂上……

噌

故意气了小多，呵呵……

当

当

您为什么这么做？您可是老师！

不丢人吗？

当然是因为上面的指示！因为我反对量子力学引起了他俩的不满，他俩就会进行穿越！

站起

啊……

到目前为止的穿越，每次都能见到正好符合情况的科学家。所以这次……

能见到他们的概率非常大！

嗖

难道我们是电子吗？还要计算概率……

经典力学和量子力学的结合！

啊！

停住

砰

您怎么突然停下了！

上面还指示说，要仔细听他们在穿越前后的对话。

啊……

咬

但他们刚刚好像已经穿越了！

挠 挠

耳朵下面怎么这么痒？

挠 挠

咦? 耳朵下面有个东西!

咻呜

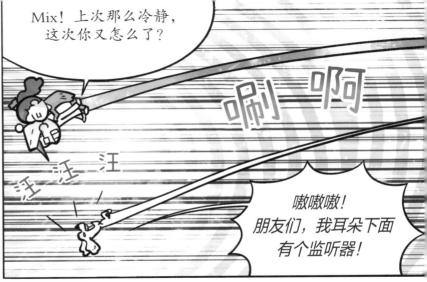

Mix! 上次那么冷静, 这次你又怎么了?

唰 啊

汪 汪 汪

嗷嗷嗷! 朋友们, 我耳朵下面有个监听器!

啊, 拜托! 安静点儿! 大家都在看呢!

捂 捂

你看你看! 真的来到我们想来的地方了。我没说错吧?

1590年
意大利比萨斜塔*

喧闹

喧闹

Mix, 安静!

我说我耳朵下面有个监听器!

*意大利的地标之一。塔身倾斜, 高约55米, 差不多有18层楼高。

现在伽利略要从塔上扔两个铁球下来。

嘀咕

嘀咕

为什么？他想干什么？被砸中的话会很痛啊。

他要让我们看看哪个球先落地。

当然是重的先落地。这还用实验吗？

看来他真的很无聊。

来看这个实验的我们岂不更无聊！

好，现在开始做自由落体实验*！

*其实伽利略并没有在比萨斜塔上做过扔铁球的实验。但为了更好地解释伽利略的观点，此处用漫画手法表现。

这两个铁球的重量相差整整十倍！

请大家仔细看哪个球先落地！

3——

2——

1——

开始！

哎呀！竟然同时落地！

这不可能！

我还以为重的球会先落地呢！

大家都看见了吗？

两个球同时落地！

伟大的古希腊哲学家亚里士多德认为，重量不同的两个物体从同一高度自由下落时，重的会先落地！

我们也都这么认为！

但我刚刚证明了，他的想法是错的！

我们去塔顶见见伽利略吧！

啪

嗷嗷嗷

汪！

噔

噔

您好，伽利略！

小朋友们也对我的实验感兴趣啊！你们看到实验过程了吗？

我耳朵下面被人装了监听器！你听我说！

是的，我们看到了！但我很好奇。

嗷嗷

汪

您为什么要做这个实验呢？

因为我想证明亚里士多德的想法是错的。

他到底有没有做实验？！

我要证明自由落体的速度和重量无关。

但从同一高度同时扔下铁球和羽毛的话，铁球会先落地。

轻飘飘

唰

那是因为空气阻力。羽毛和空气接触的面积更大，所以受到的阻力也更大。

哗 哗

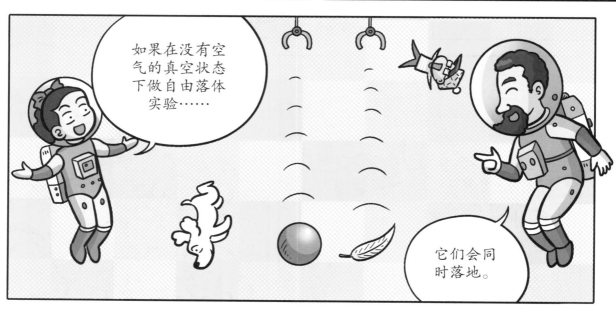

如果在没有空气的真空状态下做自由落体实验……

它们会同时落地。

我听说您是一位伟大的科学家，为了证明人们相信了近两千年的理论是错误的，您不惜和教会斗争。

嗯……

虽然我也想成为你口中的伟大科学家，但还没有……

还有，这些话不能乱说。搞不好要接受宗教审判……

火刑

啊！

那我们快点儿穿越回去不就行了。

啊，我不乱说话了！

我不会揭发你的，放心吧。

说不定以后我也得上宗教法庭。

我现在每晚都在观测天体，进行研究。

人们认为地球是宇宙的中心，但我不这么认为。

日心说！

虽然一时半会无法改变人们的想法……

但我一定要证明，地球是围绕太阳转的！

您一定能做到！我敢保证！

我一定要提出能说明宇宙中所有现象的理论。

……

如果……如果……

？

如果您的理论中有错误，您会怎么样呢？

我绝对不会提出这样的理论！我不能容忍这样的错误！

呸

但是……

如果有人用实验证明了我的理论是错误的，我就接受。

因为比起我的主张……

真理更重要！

如果未来人们在我的理论的基础上有新发现，那我就满足了。

也许在像原子这样的微观粒子的世界中，有别的物理定律成立。

这个想法很棒！我很喜欢！

啪

如果这是真的，那一定需要全新的物理学！

没想到还能和你们这些小朋友聊这些。

下次来我的研究室玩吧!

我研究室的地址是……

嗯……无论是经典力学还是量子力学,都是对当时所认识的世界进行解释的理论。

没必要争论哪个更好,哪个不够好。

所以最后只能靠我自己来解决这个监听器吗?

看!我说得对吧?去的就是我们想去的时代!

果然，我听到他们的对话了，确定已经完成穿越了！

咦？我们只在狗身上装了监听器，你怎么能听到他俩说话呢？

刚才我故意气小多的时候，偷偷在他包里放了监听器。

坏笑

同一时间
小多家

挠挠

我要把它摘下来！我一定可以！我能做到！

挠挠

Mix，吃零食啦！

汪？

嘿嘿！

当啷！当啷！

哥哥你别管！

唰

好，好的……

敏书，你被小云抓住什么把柄了吗？

才没有呢！

嚼嚼

看她可爱，才请她吃的……

那是，那是。

还要？

阿姨，这里再来一份薯条！

好嘞！

你们兄妹俩的胃到底是怎么长的？

唰

什么，你这是在骂我们吗？

你慢慢吃，多吃点儿。

郑小云，差不多行了！还得去医院接Mix呢。

医院？Mix病了吗？

倒不是很严重……不知道是不是吃坏肚子了，身体总扭成一团……

所以妈妈带它去医院检查了。

妈妈下午有事，所以一会儿我和哥哥得去接Mix回家。

狼吞虎咽 小吃店

爱宠 宠物店

爱宠 动物医院

哎哟!

我不去!

周末只有这里开门。快进来!

Mix，快进来吧。

X光室

哎呀！是之前见过的那个可疑的女人……她竟然在这家医院工作。

我讨厌X光！我讨厌这个女人！

挣扎

它不喜欢医院……还是我抱它进去吧。

好……

这样比较好。

啪

X光室

哐当呀啊

X光室

呼，呼！

不好意思……它有点儿凶。

没关系……它也难受，没办法嘛……

您10分钟后进诊室就行。

哎哟！解气！爽快！痛快！

一歪

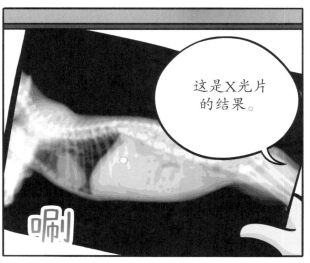

这是X光片的结果。

唰

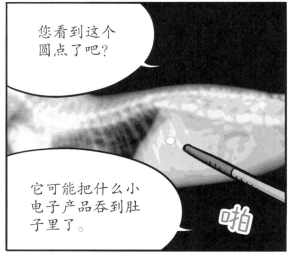

您看到这个圆点了吧？

它可能把什么小电子产品吞到肚子里了。

啪

电子产品？Mix，难道你吃手机了？

……

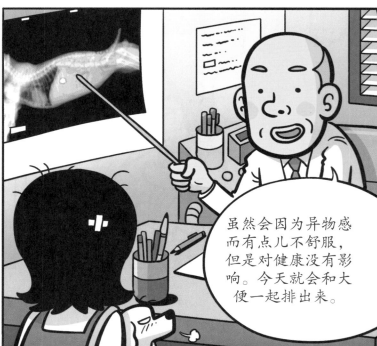

虽然会因为异物感而有点儿不舒服，但是对健康没有影响。今天就会和大便一起排出来。

汪!

这么快?
这下终于能把
它弄出来了!

狗确实把监听器吃了。

总听见的"咕噜噜"的声音好像是消化器官发出来的。

监听器怎么能装得这么马虎呢?

!

为什么对我发火?我不是早就说过吗?耳朵下面它经常挠,很容易掉……

啊!等会儿再打给你!

喂!说不过就跑,太可恶了吧!

吓我一跳。打电话小声一点儿啊。

呃,可不能被他们发现……

尴尬

嚼

嚼

那个人，之前好像见过……

对，他经常来这家店。看来是这里的常客。

不是啦……他和我认识的一个人很像……

而且他在店里还戴着墨镜……

嗝儿

哥哥眼神可差了。小时候经常认错妈妈，跟着别的阿姨走……

哈哈哈哈哈哈

不许笑！有什么好笑的！吃完了就赶紧去接Mix吧。

站起

哈哈

啊，我也要一起去。不然你认不出Mix，把别的狗带回家怎么办？

肚子又撑又好笑啊好累

呃……

真是单细胞生物……
吃饱了就这么开心吗？

敏书，刚才那个戴墨镜的人很可疑吧？

他的鼻子和嘴……怎么看都像我认识的人……

上次我说他奇怪，你还嘲笑我！

情况有变，想法也变了呗。

你的想法是电子吗？还能不停地变化？

真是！刚学了点儿东西就乱打比方。

我们还不了解量子力学。

那又怎样？美国物理学家理查德·费曼说过——

没有人真正懂量子力学。

嚯！你这又是从哪儿听来的？

什么听来的！我是从书上学的！

勤奋

即使这样，我们也得尽全力去尝试理解不是吗？

费曼和量子力学的结合！

�?

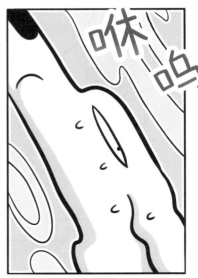

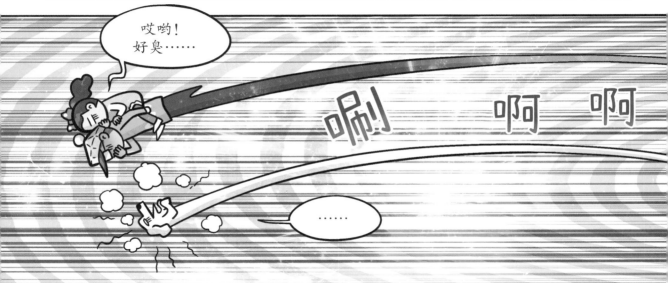

1927年
荷兰莱顿大学

嗯——

啊，这位是……

哎呀！吓我一跳！

第五届索尔维会议上爱因斯坦和玻尔争论时出来劝解的保罗·埃伦费斯特教授！

咦？你们俩是玻尔教授带来参加索尔维会议的小朋友……

是的，又见面了！

你们来这里有什么事？

我们是来玩的。

来荷兰？看来是来旅行的啊。

我正在思考量子力学的世界观。

世……世界观是什么呢?

简单来说,是人们对世界的看法。

从量子力学的角度看世界……是这个意思吗?

你理解得很对。

哈

呼呼

要是在这里拉便便,肚子里的监听器就会出来……也许会对穿越造成影响,说不定就再也回不去了……

我得忍!必须忍!我得忍!必须忍!

咚 咚 咚

几天前的第五届索尔维会议上，玻尔教授提出哥本哈根解释时……

爱因斯坦教授表示反对。

玻尔教授！

这是不同的世界观发生碰撞的时刻。

所以教授您出来劝解了。

是的。

其实我也不认同爱因斯坦的反驳。

爱因斯坦，惭愧惭愧。

就像反对你的意见的人不由分说地反对相对论一样……

你也无条件地反对新诞生的量子理论吗？

无论如何我都无法接受！

上帝不会掷色子。

可是有争论科学才能进步嘛。

是的，没错！

我也希望爱因斯坦教授不要那么抗拒新理论。

话说回来，我也提出了一个理论。

什么理论？

绝热不变量理论！

1900年，德国的马克斯·普朗克为了解释黑体辐射提出量子假说。

针孔

爱因斯坦解释光电效应时提出光是粒子，光传递能量时是一份一份传递的。

后来玻尔完善了量子的概念，解释了氢原子光谱，量子力学的地位才正式确立。

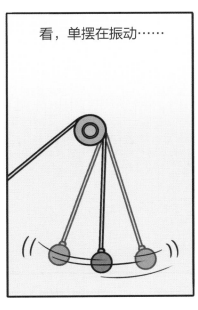

看，单摆在振动……

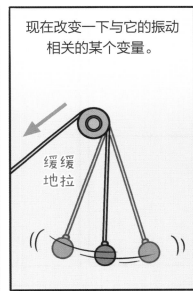

现在改变一下与它的振动相关的某个变量。

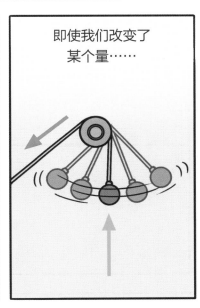

即使我们改变了某个量……

依然有保持不变的量。

在一个缓慢变化的系统中，振动能量和频率之比为常数。

$$\frac{振动能量}{频率} = 常数$$

这个量就叫作绝热不变量。

啊！这太难了！

量子力学中某些物理量的值能被普朗克常数整除。

普朗克常数

$$6.62607015 \times 10^{-34} \, m^2 \cdot kg/s$$

这时就可以说这个物理量"被量子化"。

比如，量子力学中能量不是连续不断的，

而是间断的，即一份一份的。

想象一下原子世界中粒子的振动情况，振动能量和频率的比作为绝热不变量也能被普朗克常数整除。

哎哟！

这个想法将在玻尔研究量子力学时给他以重要的启发。

似懂非懂

从结果来看，量子力学的世界观是由不确定性支配的。

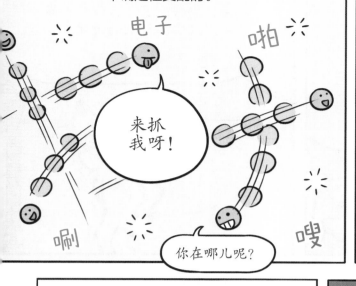

相反，经典力学的世界观则是所有现象都能被预测的决定论世界观。

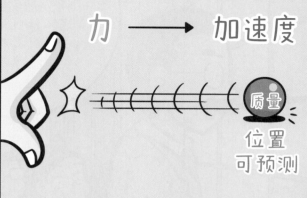

在经典力学中，物体的位置可以被准确预测……

而在量子力学中，能确定的只有某一时刻粒子出现在某一位置的概率。粒子可能出现在多个位置，只有被测量时，才在其中一个位置上确定下来。

是的，在经典力学中，粒子不能同时出现在多个位置……

但波可以同时出现在多个位置。

和爱因斯坦一样，大多数人还不能脱离过去的世界观的束缚。

看来要接受量子力学的世界观还需要很长的时间。

我不需要时间！

哆哆

嗦嗦

呃！我实在忍不住了！

嗒

咻

呜

片刻后

啊，终于找回了宁静。

呃啊！

怎么拉了这么多！

这个我会处理的。

嗖

谢谢！一会儿孩子们会来接Mix回家。那就拜托您了。

跑掉

好的。

抖 抖

呃……

找到了！

不洗了，直接给他！

吭

Mix! 那是你的便便吗?

我现在一身轻松!

啊，赶快藏起来!

等下！小云请客……

意味着世界末日要到了！

我才活了11岁啊！

你们也太夸张了吧。今天请客是为了庆祝我得奖！

得奖？

看来世界末日真的到了！小云竟然能得奖！

不许嘲笑我！

起身

我在全国科学竞赛中得了第一名！

……

你什么时候这么厉害了？

你在科学竞赛上都做了什么？

我们家可是科学世家。这都是我向爸爸和哥哥努力学习的结果。

都是我榜样做得好，嘿嘿！

得意

刚才还说世界末日呢，现在你又成好榜样了……你变得也太快了吧？

你刚才不也附和了嘛……

总之，祝贺你。

谢谢。

那么，我能再吃一份鱼糕吗？

当然。

等一下！

你不是说今天你请客吗？为什么还问我？

惊

醒

今天是什么日子？

4月

一 二 三 四 五 六 日

① 2 3 4 5
6 7 8 9 10 11 12
13 14 15 16 17 18 19
20 24 25 26

愚人节！

上当了吧？

别冲我发火。漫画的情节都是作者和编辑决定的。

太过分了！竟然在愚人节骗我们！

剧本

编辑部

太过分了！

嚯！

呀！

好！你完美地骗过了我们。作为奖励，我告诉你一个秘密。

哦，秘密？

其实，我和小多可以穿越时空回到过去！

穿越时空？就像乘坐时光机一样吗？

晕！金敏书……

你怎么乱说话……

炒年糕……

米肠……

薯条……

哇哈哈哈哈！穿越时空！太荒唐了吧！哥哥，你看她这糟糕的演技！

会听到她的……

吧嗒 吧嗒

我们可以随时回到过去，去拜访著名的科学家……

哇 哈 哈 嘎

普朗克、玻恩、玻尔、伽利略……

哇哈哈哈

他们现在敢光明正大地聊穿越的事了。

是啊。胆子越来越大了……

嚼 嚼

8。

正好。我在小多包里放了更厉害的监听器，我们可以离目标更近一步了。

嚼 嚼

所以我早就说放在包里嘛，比放在狗身上强多了……

……

你知道我从狗的便便里找监听器找了多久吗？

喂，我在吃东西呢！

总之，这次的监听器有特殊功能！

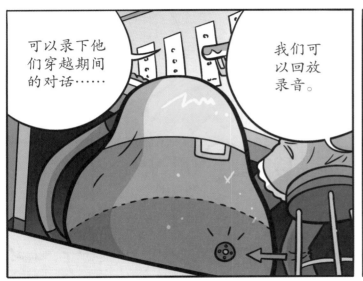

可以录下他们穿越期间的对话……

我们可以回放录音。

可是……为什么要听这个呢？

他俩穿越的时候，现实世界的时间完全停止了啊！

是哦……

我们一眨眼的工夫，他们就回去了一趟……

但是他俩能在这段时间内和科学家们交谈！

为了搞清楚到底发生了什么，我们必须听到他们的对话！

所以才想录音的啊。

听了录音，我们就能知道科学家们的想法和他俩的情况了。

没错，就是这样！

唰

那下一步就是分析他们的对话，找到穿越的方法？

呃！

是，是的。

我一定要成功穿越，完成我们的目标。

？

我要阻止量子力学的发展。不让这一切发生……

只要我们俩在一起就行了。管它什么量子力学……

你说什么呢。

啦啦啦

吃饱了更开心了。

她一直都这样。

仔细想想埃伦费斯特教授的话，量子力学似乎已经基本完善了……

但我不清楚量子力学到底解决了什么问题。

它帮助我们理解了很多经典力学无法解释的现象啊。

……

你们俩又聊这些假大空。这些和我们的生活有什么关系……

能吃饱穿暖就行了嘛。

嗝儿

呃，这个单细胞生物。

总之，我想穿越回去学习这部分内容。

真是的，又在聊穿越！

要不要穿越一个给你看看？

随你便喽。

喂喂！不行！

哈哈！有好戏看了！

反正小云也不会信。今天是愚人节嘛。

喂！喂！

量子力学和愚人节的结合！

1928年
丹麦哥本哈根大学

这是哥本哈根大学，我们之前来过。

你现在都当着别人的面穿越了。

反正是愚人节，她不会相信的啦。

小多的包有点儿可疑……

闻闻

啪嗒

啪嗒

就是一瞬间的事，她肯定看不出来。

小孩子跑到哥本哈根大学理论物理研究所来做什么？

参观吗？

我……我叫郑小多！

我叫金敏书！它是Mix。

闻闻

之前在这里见过玻尔教授。

这样啊！

你们这样的小朋友居然认识我们研究所的所长！今天也是来见他的吗？

是的，我们想向玻尔所长请教量子力学解决了哪些问题。

哦，是吗？

汪！

这个问题我——乔治·伽莫夫也能回答！我也在这所研究所工作。

啊！

小多包里有监听器！和之前我耳朵上的那个一样！

啊！

我来把它弄出来！

啊！你们的狗！

别理它。穿越了太多次，心情不好而已。

哎哟……

小声

低吼

伽莫夫博士，您也研究量子物理吗？

是的。

你们知道原子核的结构吗?

当然了!

原子核是由质子和中子*构成的。

没错

・1928年中子还没有被发现,此处为了便于理解,在对话中加上了中子。

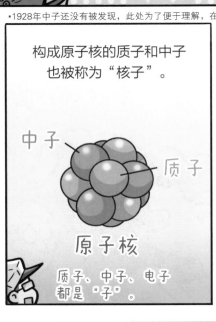

构成原子核的质子和中子也被称为"核子"。

中子

质子

原子核

质子、中子、电子都是"子"。

氢原子核只由一个质子构成。

那么氦原子核是由什么构成的呢?

氢原子核

嗯,氢的原子序数是1,氦的是2……那氦原子核中应该有两个质子?

氦的原子序数是2没错,但你说得不准确。

氦原子核由两个质子和两个中子构成。

所以氦的质量是氢的4倍。

氦原子核

氢原子核

锂原子核

有的是，有的不是。

什么？这是什么意思？

嗷呜呜

那么3号元素锂的原子核是由三个质子和三个中子构成的吗？

质子数和中子数并不一定相等。

自然界中的锂的原子核大多由三个质子和四个中子构成。

！

锂

锂原子核

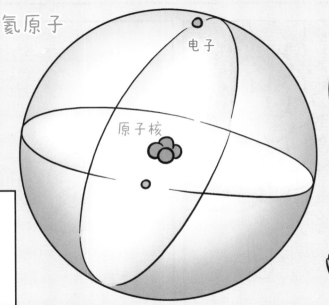

氦原子

电子

原子核

原子由原子核和电子构成……

原子核由质子和中子构成。

带正电荷的质子和带负电荷的电子的数量相同，原子呈电中性。

所以原子可以稳定存在。

原子核的质子数和原子序数
在数值上相等。

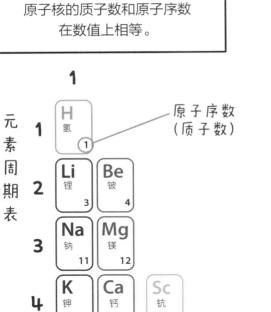

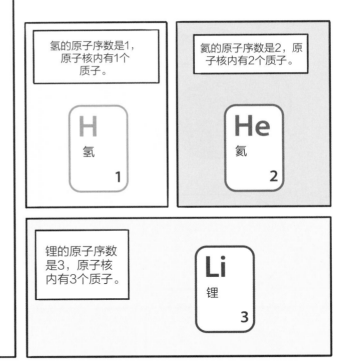

氢的原子序数是1，原子核内有1个质子。

氦的原子序数是2，原子核内有2个质子。

锂的原子序数是3，原子核内有3个质子。

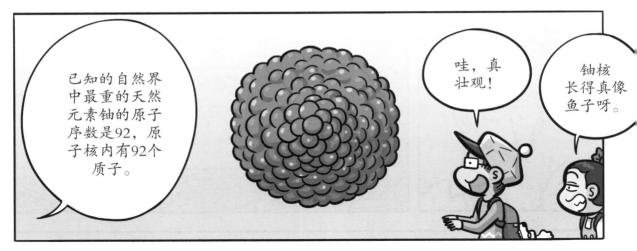

已知的自然界中最重的天然元素铀的原子序数是92，原子核内有92个质子。

哇，真壮观！

铀核长得真像鱼子呀。

铀核也和锂核一样有不同数目的中子吗？

是的，自然界中存在含143个中子的铀，也存在含146个中子的铀。

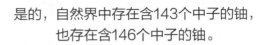

铀核

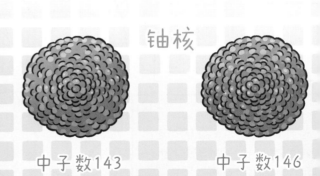

中子数143

中子数146

这些中子数不同的原子属于同一种元素吗？

这个问题问得好。同一元素中质子数相同但中子数不同的各种原子互为同位素。

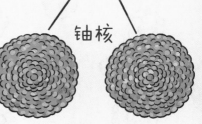

同位素

铀核

质子数 92
中子数 143

质子数 92
中子数 146

啊！我听说过放射性同位素！

对！

原子核的质量由质子数和中子数决定。

质子数和中子数相加得到的数值被称为质量数。

原子核

质量数

那么，铀的质量数……

质子数		中子数		质量数
92	+	143	=	235
92	+	146	=	238

是这样吧？

没错！

另外，有些不同元素的核素因为质子数不同，所以原子序数不同，但原子的质量数相同。

氩核

质子数 18

＝

钾核

质子数 19

质量数

！

这样的核素叫作同量异位素。

原子核的种类是随着核子的数量变化的。

所以量子力学到底解决了什么问题呢?

哈哈!我正准备说这个呢。

世界上存在的元素中,有些会自发衰变。

啊?但是刚才您说因为呈电中性所以原子会稳定存在。

科学家们在研究中发现了一个现象:原子核分裂后,原来的元素会变成更轻、更稳定的元素。

呃……不行了!该减肥了!

胖乎

是像这样分开吗?

嚯!厉害!

咔嚓

不是像分苹果这么简单,是分成两个不同的原子核。

比如88号元素镭……

发射出α粒子的同时会变成86号元素氡。

α粒子？

α粒子

镭 质量数 226
质子数88 中子数138

氡 质量数 222
质子数86 中子数136

α粒子由两个质子和两个中子构成。

α粒子

和氦原子核的结构一样啊……

那就是少了两个质子、两个中子。

He
氦
2

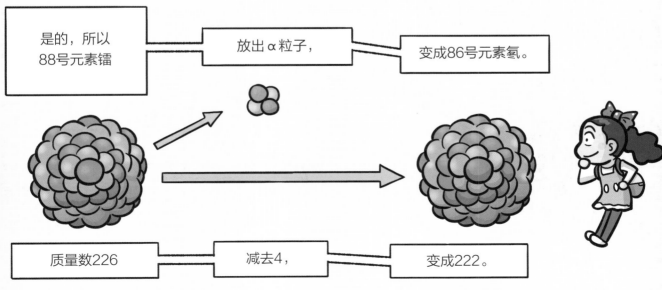

是的，所以88号元素镭

放出α粒子，

变成86号元素氡。

质量数226

减去4，

变成222。

经典力学完全无法解释这种α衰变现象。

所以我用量子力学进行解释。

嘿，伽莫夫！玻尔所长找你！

所长找我？

嗷呜。

有什么事？

应该是因为α衰变。

知道了。

小多、敏书，今天就先说到这里吧，下次再说！这是关于α衰变的论文，你们拿去看看吧。

好的！

把论文放包里吧。

嗷呜呜呜！

唰 啊 啊

啊啊！好重！

嗯，回来了！

我们来听听看！

好！

一起听吧。

……

好，好吧……

一小时后

这是什么声音？狗叫声？

真是乱七八糟……

嗯哼哼

嗷呜呜

汪汪汪

汪汪 汪汪

嗷呜呜

汪汪

第四话
南山秘密研究所大公开！

还能是哪里？当然是南山秘密研究所！

咣

喵！

啊？苹果和艾萨克？您让我把她们带到哪里去？

真是，都叫秘密研究所了，前面还非要加上"南山"两个字。

走吧，艾萨克。

嘎吱

喵！

可是苹果是谁啊？

是你的代号啊！它是艾萨克，我是伍尔索普！

喵！

啊，对。我忘了。

真是！

不过你不乔装的时候看起来更帅。

……

同一时间

哟，金敏书！现在车骑得很好嘛。

看你能不能跟上我。

不公平！一，二……然后就出发了，这是耍赖！

就要赖。

啊？

哑哑

谁输了谁请客。

嗝儿

你这也太赖皮了！简直就是骗子！

吸溜

别生气了，送你这个。

这不是蒲公英嘛。

嗯，它是菊科多年生草本植物，许多种子聚在一起，看起来就像一朵花。

我很喜欢生物学，不过最近忙着和你一起穿越，都有些疏远这些植物了。

可怜的生物学

还不是你，动不动就喊穿越！

揪

吹

好想和蒲公英一样自由飞翔。

我的零花钱也飞走了。

所以送蒲公英给你啊。它的花语是感恩的心。

真是感人，谢谢你。

给，拿着。

哇，是象征幸运的四叶草！

另一边

呼！呼！

好像就在这附近……

这个仓库一样的地方就是秘密研究所吗？

应该没错。

嘎吱

按

嗡嗡

电梯里只有一个N字按钮……

按

这是牛顿的英文名Newton的首字母。

那我们一会儿要怎么上来呢?

不知道。我也只知道这些。

什么嘛!你不是说你是组织的核心成员吗?!

到了。

叮

心虚➡

你们终于来了。

啪嗒啪嗒

瑞士的组织成员查清了穿越时空的秘密。

是什么呢?

喵!

小多在CERN*参观的时候，曾和那只狗一起被强光照射过。

强光！

* 欧洲核子研究中心。它拥有世界上最大的粒子加速器。

抚摸

我们成功造出了能发出同样光线的机器。

喵，喵。

你们被强光照过后就能进行穿越。

要是……出了问题……

惊

喵！

呕

怎么！忘了对组织发的誓言了？

哎哟喂，我的手！

活该。

啪

我愿意为组织献身！

我愿

啪

哇啊!

呃啊!

呃啊啊……

呃……

瘫倒

啊,不小心按了开灯键。现在正式开始。

哈哈!这样啊!

我们也是先演练了一下。哈哈!

尴

尬

站起

好,现在正式开始。

嗡
嗡
嗡

!

啪

对了，上次伽莫夫博士把论文给了我们。

是啊。

那个会不会和玻尔教授的邀请函差不多？

还在我书包里装着呢。

嘿嘿，我们一起抓着试试？

喂喂，现在不行。

嘿！

伽莫夫和论文的结合！

啊，真是的！

1928年
丹麦哥本哈根大学

果然！
又到了哥本哈根大学！

乔治·伽莫夫
的研究室

真的到了伽莫夫博士的研究室……

立起

哎哟，Mix！你今天怎么对我这么亲热啊？

我的想法果然没错！

包了？难道监听器在你身上？

怎么没？

闻闻

嗅嗅

咦，是你们啊。

是来接着听上次没说完的内容的吗？

嘎吱

是的，您好。

哎哟，好郁闷！没有狗语翻译吗？

应对穿越变得越来越熟练啦！

让我想想。上次我们说到了原子核的结构和 α 衰变对吧？

是的！

您说 α 衰变无法用经典力学来解释。

你干什么呀！

闻闻

好像不在小多和敏书身上。

是的。没错！

Mix变得好奇怪。

构成原子核的质子和中子被非常强的力捆绑在一起。

听说这叫强核力……

挺厉害嘛。

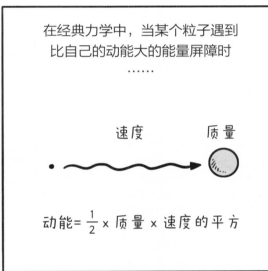

在经典力学中，当某个粒子遇到比自己的动能大的能量屏障时……

速度　　　　质量

$$动能 = \frac{1}{2} \times 质量 \times 速度的平方$$

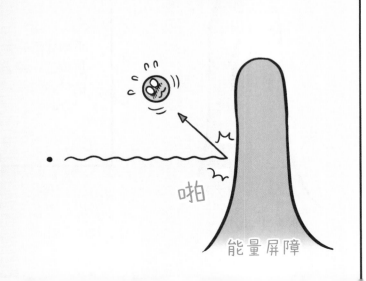

这个粒子绝对无法穿过这个屏障。

啪

能量屏障

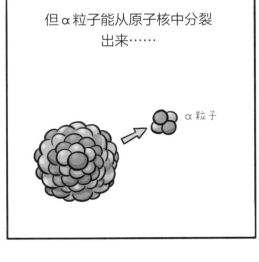

但 α 粒子能从原子核中分裂出来……

α粒子

这意味着 α 粒子穿越了强核力形成的超强能量屏障。

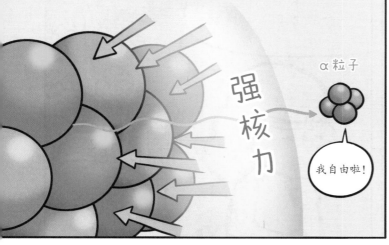

强核力

α 粒子

我自由啦!

这也是用经典力学无法解释的现象。

是的。

但是用量子力学可以解释。在量子力学中，粒子具有波的特性。

这和光与玻璃相遇后，一部分光被反射回去、一部分光穿过玻璃的现象类似。

像 α 粒子这样穿越比自己能量大的能量屏障的现象叫作量子隧穿效应。

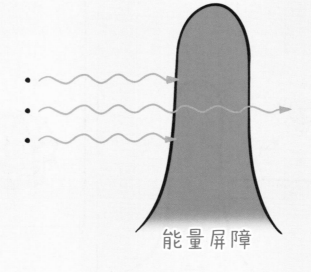

能量屏障

这时穿越能量屏障的 α 粒子的数量由概率决定。

量子隧道

咻

α 粒子穿越能量屏障就像隧道穿过大山一样。

没错。

啊啊啊!

Mix!

监听器!监听器!

嗅嗅

你是不是有点儿无聊?你要是乖乖的,我一会儿给你点儿零食吃。

哎呀,真是个麻烦鬼!

零食!♪

希腊字母表中 α 后面是什么?

β γ

贝塔! 伽马!

对,原子核衰变除了 α 衰变,还有 β 衰变和 γ 衰变。

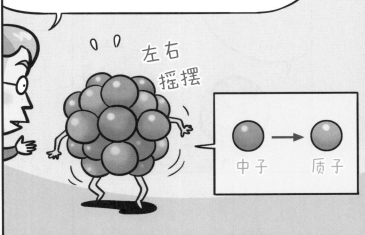

β 衰变发生时,中子放出电子变为质子,最终产生更稳定的元素。这是弱核力作用的结果。

左右摇摆

中子 → 质子

弱核力是基本力中的一种，作用于粒子之间，它的强度比强核力的弱。

看来这个现象也不能用经典力学解释。

没错。γ衰变是原子核从不稳定的高能状态跃迁到稳定或较稳定的低能状态……

啊，好轻松。

γ射线

同时放出γ射线的现象。

那么α衰变、β衰变、γ衰变都是因为某种粒子穿越能量屏障而产生的现象吗？

能量屏障

那倒不是。只有α衰变是这样。

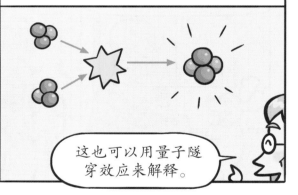

两个以上的原子核聚合成一个新原子核的过程叫作核聚变。

这也可以用量子隧穿效应来解释。

太阳内部就一直在发生核聚变。

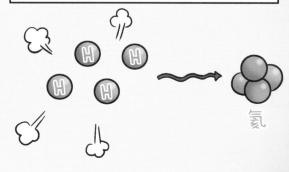

太阳内部发生的核聚变反应就是氢原子核聚合成氦原子核的过程。

氦

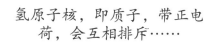
氢原子核，即质子，带正电荷，会互相排斥……

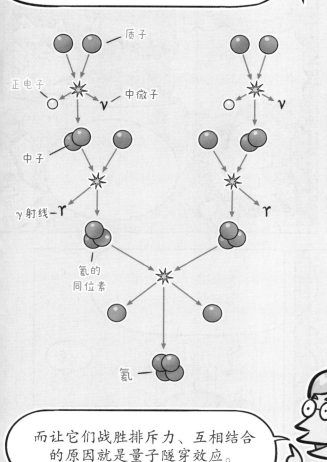

质子

正电子

中微子
γ

中子

γ射线—γ

氦的
同位素

氦—

而让它们战胜排斥力、互相结合的原因就是量子隧穿效应。

战胜排斥力、互相结合……

这就跟罗密欧和朱丽叶一样……

原子核的衰变和聚变只能通过量子力学来解释。

啊，停！

嗅嗅

好，既然确定了没有监听器，那就快回家吧！

碎纸片

咬住

咻啊啊啊

看来现在Mix对穿越也很熟练了。

……

85

这是哪儿？回到过去了吗……

你们没事吧？

现在是几几年？1920年？1930年？

还是只能看到他的手。

通过强光照射，你们已经拥有了穿越的能力。

看来只是接受光照还不行。

好失望

……

突然开心

对了！小多和敏书穿越前都会喊一句话。

……

啊，我知道了。接受光照后喊那句话就能穿越到过去。

你现在才知道？白跟我调查了那么久……

喂！这样的人还能当调查员?!

呸

10分钟后

你们现在赶紧试一试吧。

喊什么来着?

还能是什么,当然是……

咦——呀！

伍尔索普和苹果,合体!

呃……以后每次都得这样吗?

一小时后

大家都辛苦了，歇会儿再干吧。

你连杂草和土豆苗都分不清吗？

憔悴

嘿嘿

还记得去年挖土豆的时候……

爷爷出的题吗？

看你们的表情，应该是不记得了。

发蒙

您说番茄和土豆都属于茄科植物……

我们都是一家人。

哈哈

哈哈

不愧是小多妈妈。

那我今天出第二道题！

晕，时隔一年的第二道题！

什么植物地下结土豆，地上结番茄？

89

超级植物!

混合植物?

一植两菜?

难道是番土豆? 番茄+土豆?

哇哈哈! 番土豆! 妈妈也太天真了吧?

叮咚! 番土豆, 回答正确!

耶!

……

也叫番茄马铃薯。

大受打击

它能同时结土豆和番茄?

光还同时具有粒子和波的特性呢。有什么好吃惊的?

这都是因为借助了细胞杂交技术。

细胞一

细胞二

结合!

核聚变我听说过，细胞杂交还是第一次听说。

还好敏书不在，不然她好奇心一起，肯定立马要穿越。

连核聚变都知道，我孙子可真厉害。

这都是因为穿越时空……

又来了！又在说什么穿越！

就是！

不是不是！都是因为我花时间努力学习了！

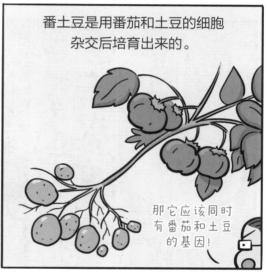

番土豆是用番茄和土豆的细胞杂交后培育出来的。

那它应该同时有番茄和土豆的基因！

哈哈！

我是番土豆侠！

你在想什么？

没有，没什么。

感觉番土豆和我挺像的。学习好，运动也好。

真是让人无语的比喻！

同一时间

啊……

这是哪里……

跳起

还是在原地，唉……

你干什么呢？又失败了，快下来吧！

该死！为什么不能穿越？

喵！

你问我，我怎么知道？

我们按照小多和敏书的样子做了……一边喊"合体"或者"结合"……

是不是应该抱得再紧一些？像这样。

抱紧

总之，你俩多尝试尝试，要尽快成功！

是。

希望可以一直不成功。

喵！

喵！

啪

量子和力学的结合！

组织和Boss的结合！

结合！

结

合！

喂

刺
刺
刺

哇，太好吃了！

我也要！
我也要！

果然五花肉……

是最棒的！

咳咳……

93

我要出第三道题了!

您不等明年再出?

嚼 嚼

又出题? 你也太爱出题了吧?

好玩嘛。

这次的题该不会和生菜有关吧……咳!

是的。

咳

惊

我还要!

我们现在吃的生菜,从植物分类学来看,和以下哪种植物属于同一科?

选项!

咳咳

让你吃独食,呛着了吧!

1. 白菜

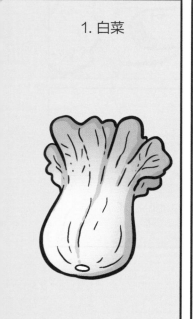

2. 菠菜

3. 蒲公英

4. 水芹菜

我选1，白菜！

错！

啊，可惜！

我选2，菠菜！

错！

爸，是选3，蒲公英吧？

叮咚！小多妈妈真厉害！

啊？

蒲公英？

我们比较一下它们的花就知道了！

哇，长得真的很像呢！

生菜

蒲公英

大家听说过quantum jump吗?

Quantum Jump

怎么突然说这个?

quantum是量子的意思……

是啊。

quantum jump是产业飞速发展的意思。

作为半导体强国,我们国家正面临又一次的产业大飞跃。

爷爷,quantum jump和量子力学有什么关系呢?

我还要吃!

嚼嚼

马克斯·普朗克

这是德国物理学家马克斯·普朗克提出量子假说后出现的术语,本义是量子跃迁。

据半导体行业消息，XX电子投入近350亿元用于建设生产线……

预计将与国外竞争公司拉开较大差距。

可以说形成了产业大飞跃。

我们国家的半导体技术确实厉害。

物理学术语用到了经济学领域，普朗克要是知道了一定很开心吧。

等我见到马克斯·普朗克，一定要告诉他。

什么？你要见他？

槽糕！

啊……不是。我开玩笑啦！

第二天 放学路上

我们肯定漏掉了什么。

今天一定要弄明白。

好!

喵!

这是什么?

去乡下的时候爷爷给我的笔记，爷爷让我有时间看看。

你知道马克斯·普朗克是谁吗？

提出量子假说的科学家嘛。

你别这么一脸惊讶地看着我，我不也穿越了好多次嘛。

总之, 昨天新闻中出现了quantum jump这个词。

咻咻

难道说的是游乐园里的新项目?

不是, 本义是量子跃迁, 现在是个经济学术语, 意思是快速发展。

发展?

咦, 物理学术语怎么成了经济学术语了?

这个我也不清楚。

不清楚就去搞清楚吧!

量子和飞跃的结合!

喂, 你真是! 呃啊!

啪

穿越了!

!

喵

好, 我们也学他们试试!

量子和飞跃的结合!

啪

喵!

上次来的时候，您说物体被加热、温度上升后，颜色会变化。

是的。

颜色变化意味着物体因为黑体辐射而发出的光发生了变化。

黑色

红色

红色

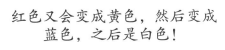

红色又会变成黄色，然后变成蓝色，之后是白色！

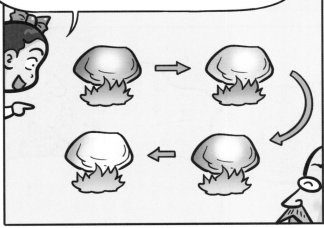

你们俩连这个都知道！

没什么啦，在21世纪这不算什么……

什么？21世纪？

不是，是我们住的地方叫21市街。您认为量子力学的概念被运用到日常生活中的那一天会到来吗？

比如在新闻中把quantum jump这样的物理学术语作为经济学术语来使用……

要是真的有那一天，那作为物理学家的我可就太幸福了。

今天我得谨慎一点儿。要是像上次那样一直咬，只会挨骂……

那么量子跃迁这个术语是怎么出现的呢？

光能

我认为物体吸收能量后放出的光的能量是不连续的。

光能

当然在这以前，人们普遍认为能量是连续的。

能量是间断的，由可计量的单位组成，所以叫量子。

量 计量的量

英文是quantum!

quantum

没错。

那么量子跃迁中的"跃迁"是什么意思呢?

你以为你是在游乐园里吗?!

打开电灯的瞬间……

灯会发光。

啪

啪嗒

但其实能量是顺着电线连续地

流动到电灯中的。

乍一看好像是瞬间发生的,不是连续的,实际上还是有个能量持续传播的过程!

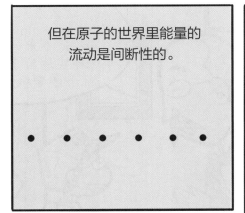

但在原子的世界里能量的流动是间断性的。

· · · · · ·

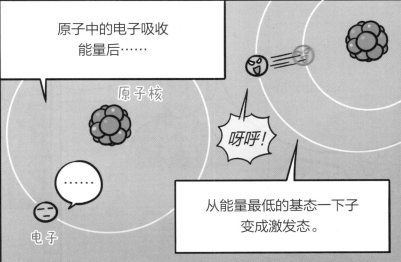

原子中的电子吸收能量后……

原子核

呀呼!

……

电子

从能量最低的基态一下子变成激发态。

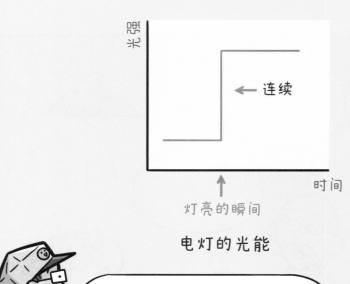

←连续

电灯的光能

←不连续

原子的能量

所以把这个叫量子跃迁！

是的。

但电子并非得到能量就会发生跃迁。

只有获得了足够进行跃迁的能量……

……

才能瞬间变成激发态。

所以新闻中把经济大飞跃叫quantum jump。

大家听说过quantum jump吗？

Quantum Jump

这么看来，quantum jump这个术语确实适用于经济学领域。

春天与花的结合，水和火的结合，氧+氢，大酱+辣酱……

别说了。看来今天是不行了。

来，起来吧。

哎哟，粒子和波的结合……

哼咻

怎么回事？

哇哦，成功了！

怎么回事？为什么呢？为什么可以了？

唰 啊

可是……

哐当

我们怎么变成了小孩的模样！

你们俩又是谁?

啊! 你……你又是谁?

唰

?

?

?

那个……我，我们……我们……

嗷呜呜

喵

走错……

偷摸 偷摸

走错房间了!

嗖

啪

怎么回事?

好熟悉的味道。

啪

心情莫名不好，我要赶紧回去。

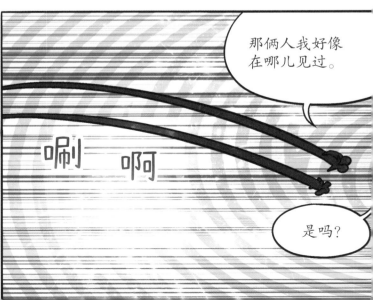

那俩人我好像在哪儿见过。

唰 啊

是吗?

咻　咻　咻

好不容易穿越成功，怎么是小孩的模样……

咕噜噜。

哐

什么？都什么情况了你竟然还肚子叫！

太紧张了，能量消耗大嘛。

可是……

什么！

我们不知道怎么回去啊。

要怎么回去呢？

沉重

……

经典力学还是量子力学，
这是一个问题！

量子力学可以解释经典力学无法解释的问题。
下面的现象如果可以用经典力学解释，请将"经典力学"圈起来；
如果可以用量子力学解释，请将"量子力学"圈起来。

❶ 某些物理量拥有不连续的值。

经典力学　量子力学

❷ 行驶的汽车突然刹车时，
乘客会向前倒。

经典力学　量子力学

用经典力学
无法解释的
问题……

❸ 某些元素在原子核放出 α 粒子的
同时变成更轻、更稳定的元素。

经典力学　量子力学

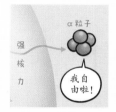

❹ 太阳内部的氢原子核发生核聚变后变
成氦原子核。

经典力学　量子力学

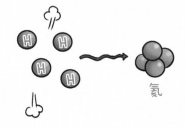

❺ 原子内的电子吸收适当的能量后发生
跃迁。

经典力学　量子力学

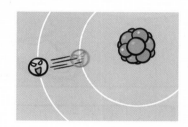

❻ 在真空状态下，从相同高度投下的两个
不同重量的物体会同时落地。

经典力学　量子力学

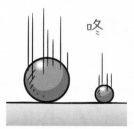

答案见第212页。

相……反?

握拳

喵

不管怎样总得试一试吧。光发呆有用吗?

苹果抬起伍尔索普。

累

不行啊……

像跳街舞一样倒过来试试!

喵!

粒子和波的结合!

不行!

把话倒过来念试试!

合结的……波……和子……粒?

没用!

都没用!

哗啦

唰

可是……是怎么回来的呢？

看来只要触摸过去的物品，就能结束穿越！

原来如此！我们终于彻底弄清楚穿越的秘密了！

嘿嘿，是的！

现在我们只需要在他俩穿越的时候跟过去就行了！

嘿嘿

喵

嘿嘿嘿
嘿
嘿嘿嘿
嘿嘿

那是当然。这样我们就能阻碍量子力学的发展……

但我们穿越后为什么变小了呢？

我还是原样啊。

虽然不清楚原因，但也幸好这样，他俩没认出我们。

是呢。

嘿嘿嘿

第二次世界大战始于1939年，结束于1945年，是人类历史上规模最大的战争。

听说如果爆发了第三次世界大战，那以后人们就只能用石头和木棍作战。这是什么意思呢？

啊，这是爱因斯坦的预言。

第三次世界大战一定会是核战争……

轰隆隆

那么之后人类文明就会被毁灭，世界就会重新回到原始时代。

也许剩下的武器就只有石头和木棍了。这意味着世界大战绝不能再次发生。

啊呀

第二次世界大战也造成了巨大的伤亡和财产损失。

原子弹就是在这场战争中被研制出来的。

听说原子弹的原理和量子力学有关。

对，量子力学就这样给人类带来了灾难。

可是量子力学也带来了很多好处啊。

噫！

你说什么！这么危险的理论你还说它好！你知道有多少人因为量子力学受到了伤害吗？

好可怕……

啊，对。老师讨厌量子力学。

啊，我太激动了……

听说原子弹的原理是核裂变，那也有聚变弹吗？

这个……我也想知道。

难道他们要在这里穿越？

我们再去学习一下核裂变怎么样？

那在回家路上？

好的！

我们也要做好准备了！

放学后

打起精神好好看着！

是！

1939年1月　瑞典诺贝尔研究所

研究室太简陋了吧？

难道这里就是迈特纳教授的研究室？

那只猫是不是也跟来了？

嗯？我是迈特纳没错，你们是谁？

我是小多。

我是敏书，它是Mix。

很高兴认识你们。

现在……是哪一年呢？

1939年。

其实我们是来这里旅行的，想请教您关于核裂变的问题。

真是好学的孩子。

可是您的研究室有些简陋呢。

你说这干吗？多没礼貌！

呃！

我作为女性要进行科学研究还是很不容易的。

太过分了！就因为是女性就不让您得诺贝尔奖吗？

这个嘛，我只能做好我自己的事。

小多和敏书在这里！

莉泽·迈特纳

您刚才是在读信吗？

啊，这是几天前我的德国朋友奥托·哈恩寄来的信。

奥托·哈恩和弗里茨·斯特拉斯曼一起对放射性*物质进行了研究……

*指某些元素放出射线（如α射线）、衰变成其他元素的特性。

他说他们发现了奇怪的现象。

是不是那只猫？

奇怪的现象？

你们知道铀吗？

当然！它是92号元素，是已知的自然界中存在的最重的元素！

92号

铀

是的，没错！

1932年，英国物理学家查德威克发现了中子。

喵！

呃，这气味……

中子……就是和质子一起构成原子核的粒子，对吧？

中子和质子的质量差不多，但呈电中性……

小多！门外有熟悉的味道！

拉拉

！

哇，真厉害！是的，中子呈电中性……

可以不受阻碍地靠近原子核！

你好

唰

真是！就知道聊天！

总是无视我！

听说科学家经常用中子轰击原子核。

我人气可高了。

中子

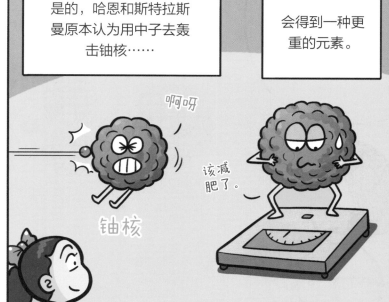

是的，哈恩和斯特拉斯曼原本认为用中子去轰击铀核……

会得到一种更重的元素。

啊呀

该减肥了。

铀核

那实际上发生了什么呢？

铀核发生了裂变，分裂成了两部分！

分裂了？您是说分裂成比铀轻的元素吗？

猫！猫！

他们原本期待出现更重的元素，那他们一定很失望吧。

他们非但没有失望，反而发现了更有趣的现象。

那分裂成的元素是新元素吗？

猫！猫！猫！

不是，是自然界中原本就存在的钡和氪。

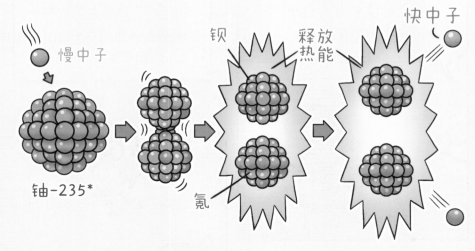

慢中子

铀-235*

钡

氪

释放热能

快中子

*指质量数为235的铀。

分裂……真是个神奇的现象。

哈恩和斯特拉斯曼不知道该如何解释这种现象，所以来信向我求助。

哦！

光凭我们的实验还不够！

所以结果怎么样了？

我和我的外甥奥托·弗里施一起进行研究……

我们在圣诞假期一起进行了研究。

最终成功用理论说明了原子核分裂现象。

分 裂

就像大水滴受到冲击会变成小水滴，铀受中子轰击也会分裂成其他元素。

钡

氪

就像细胞核分裂时会一分为二。

所以我们把这种现象称作核裂变。

啊……核裂变是这么来的啊。

猫！猫！猫！

该怎么阻止他们呢？

莉泽·迈特纳

嗯……

每次都不提前做好准备，都要等火烧眉毛才开始想办法……

可是用理论分析了核裂变现象后……

我们发现这个过程中会释放出巨大的能量。

这个结果符合爱因斯坦的质能等价原理，即质量和能量本质上是等价的。

$$E = mc^2$$

好熟悉的公式！

核裂变反应发生后，原子核会损失
一部分质量……

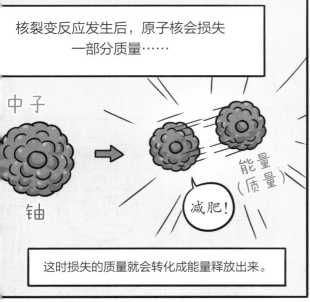

中子

铀

能量
(质量)

减肥!

这时损失的质量就会转化成能量释放出来。

核裂变过程中放出的中子又会
去轰击其他铀核……

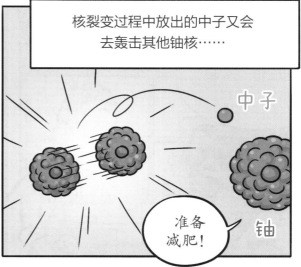

中子

铀

准备
减肥!

核裂变就会不断地持续下去。

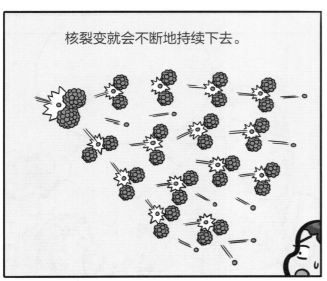

对了，我让助
手去取中子发
射器了，他怎
么还没来?

好，机会
来了!

哎呀，迟到了!
让迈特纳教授
久等了!

正好助手
来了!

唰

叔叔，请问您是迈特纳教授的助手吗?

是啊，怎么了?

迈特纳教授有急事出去了。她让我把这瓶饮料转交给您以表歉意。

这样啊……那好吧。

啧……好想喝!

那我就先回去了。可乐你拿着喝吧，没关系。

谢谢!

喂!

喂喂! 别喝!

咕咚 咕咚

怎么了?

啊，没什么!

那再见了。

咕咚 咕咚

实在没办法了，受不了这只猫的味道。

嗖

唰

啊

Mix都能在我们聊完的时候准确地结束穿越了！

是因为猫的气味啦！

你为什么要拿过来喝！

咕噜噜

呃，突然感觉肚子好……

难受！

咕噜噜

第一次任务失败了……

嗒

唰

啊

为了阻碍小多和敏书，我在里面放了泻药！谁让你把它喝了！

你再忍忍！

噗噜噜噜

我错了……

第七话
曼哈顿计划

露营

欢迎光临。请问是第一次露营吗？

是的，我是露营新手，不知道该准备些什么……

哗

要露营的话，至少得有这些……

简直就是全部家当！

几天后 露营地

咻！咻！咻！

抖抖

亲爱的，会还没到营地，你倒下了吧

好难啊！

咦，小多一家也来了啊？

免费露营地

呃……敏书？

去年露营时也遇见了，看来咱们真是很有缘呢。

是啊。

我让你告诉我露营日期的事，你没和小多说吧？

窃窃私语

那当然。

我把我们家露营的日期告诉你，你可得好好报答我！

窃窃私语

成交！

比萨拼盘怎么样？

亲爱的，快起来！

坐起

呃……我怎么睡着了？

啊哈哈！又见面啦！

这次你们也带了帐篷啊。

快，大家来吃饭吧！

好！

起身

都忙着帮我了，你们家的帐篷还没搭呢。

哎呀！

稍等一下。

？

去吧。

丢

哗啦

唰

能自动打开的帐篷！早知道我也买这种了！

噼里啪啦

敏书，你的梦想是什么？

我想成为生态学家！

喔，看来敏书对动植物很感兴趣呢。

是的，刚才在营地里看到了四声杜鹃，还看到了尖萼耧斗菜。

尖什么？

不是啦，四声杜鹃是鸟的名字……

尖萼耧斗菜是草的名字。

大家安静! 红角鸮马上要开始叫了。

只要你保持安静就行了......

嘎咕 嘎咕 嘎咕

哇!

真的哎!

听说小多很擅长物理。

希望小多可以成为物理学家。

希望敏书可以成为生态学家!

嘻嘻嘻

嘻嘻嘻

压力

好大

别期待了!

压力

飕 飕

哗

啦

哇，风一吹，火烧得更旺了！

因为燃烧的三要素都具备了。

燃烧的三要素？

要素1
要素2
要素3

熊熊燃烧

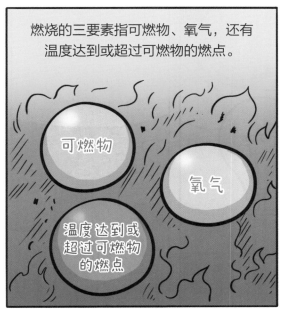

燃烧的三要素指可燃物、氧气，还有温度达到或超过可燃物的燃点。

可燃物

氧气

温度达到或超过可燃物的燃点

燃烧是物质和氧气结合发出光和热的现象。

物质　氧气

所以要想燃烧，必须有可燃物。

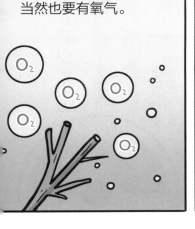

当然也要有氧气。

O_2　O_2　O_2　O_2

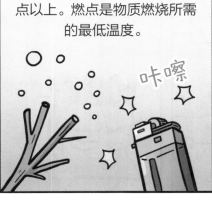

温度还必须维持在可燃物的燃点以上。燃点是物质燃烧所需的最低温度。

咔嚓

那么要想灭火，去掉三要素中的一样就行了吧？

是的。

虽然我们不能去掉氧气或可燃物，但是我们可以降温……

刺
刺
刺
刺

呃，我这是在干吗？

抖
抖

人类在自然中发现的火被称为"第一把火"。

！

电被称为"第二把火"。

啪

对，要是没有火和电，人类可能至今还在洞穴中瑟瑟发抖。

发抖

那么"第三把火"呢？

呼
呼

"第三把火"就是核能。

核能就是通过让原子核发生裂变或聚变产生的能量吧？

是的。

听说原子弹的原理也是核裂变。

轰隆隆

没错，第二次世界大战中就使用了……

很好。

哈哈，怎么样？

眨眼眨眼

我们……要去一趟卫生间。

好啊。

核裂变和原子弹的结合！

唰

他俩又准备穿越了！我们也准备出发吧！

刺刺刺

啊，你先吃点儿。饿着肚子穿越太辛苦了。

嚯！

核裂变和原子弹的结合！

嚼嚼

喵！

小多敏书

Mix

嚼嚼

嘴里吃着东西穿越，感觉好奇怪。

1945年7月16日
洛斯阿拉莫斯国家实验室

这是哪儿？

我也不知道……像是实验室……

还有军人！

叮 叮

偷偷 摸摸

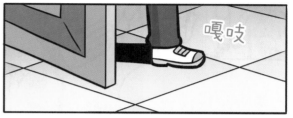

嘎吱

！

……

嗯？你们是什么人？

我，我叫小多，从韩国来……

我叫敏书。我们有问题想请教您。

现在都不介绍我了吗？

韩国，就是被日本统治的……

那个亚洲的小国家吗？

啊，是的……

叔叔，您是这所实验室的主任吗？

是的，我叫奥本海默。

曼哈顿计划的负责人罗伯特·奥本海默博士？

是的……看来我在韩国挺有名啊。

话说回来……你们想问什么啊？

我们想知道原子弹是怎么制造的。

哎哟！

正好今天我要进行第一颗原子弹引爆试验！

呕

啊，真的吗？

这是人类灾难开始的日子吗？

他俩在里面！

J.R.奥本海默

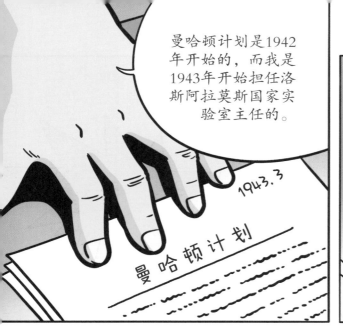

曼哈顿计划是1942年开始的，而我是1943年开始担任洛斯阿拉莫斯国家实验室主任的。

1943.3

曼哈顿计划

多名著名科学家参与其中，包括获得诺贝尔物理学奖的科学家。

把聪明人都召集起来！

好多啊！

那玻尔教授也参加了吗？

是的。

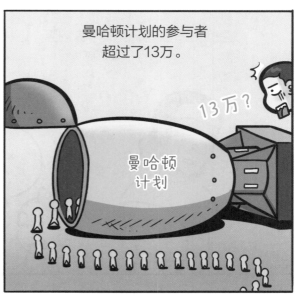

曼哈顿计划的参与者超过了13万。

13万？

曼哈顿计划

投入的费用高达20亿美元。

啊!!

曼哈顿计划

$ 2,000,000,000

这不是件容易的事。

这样还花了3年时间……

花费这么多人力和财力搞破坏！啧啧，人类真是……

你们知道用中子轰击铀核会发生什么吗?

铀核

中子

当然啦!

会发生核裂变,铀核会分裂成更小的原子核!

啪

是的! 这是奥地利物理学家莉泽·迈特纳用理论说明的现象。

上次刚见过她!

原子核分裂成更小的原子核……

中子

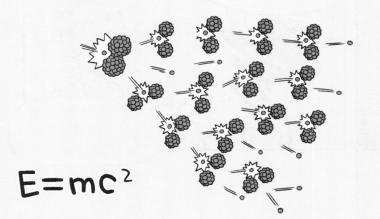

按照爱因斯坦的质能等价原理,分裂后损失的质量会转化成巨大的能量。同时,核裂变产生的中子又会引发新的核裂变。

$E=mc^2$

你们俩到底是怎么回事……真聪明啊……

是莉泽·迈特纳教授教我们的啦。

铀核中有92个质子。

铀

质子数 92

铀-235有143个中子，铀-238有146个中子。

铀-235

铀-238

质子数 92
中子数 143

质子数 92
中子数 146

它们互为同位素！

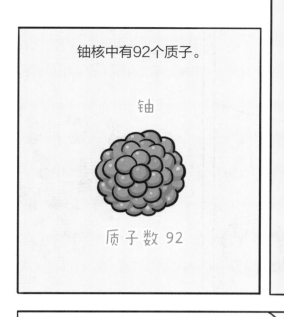
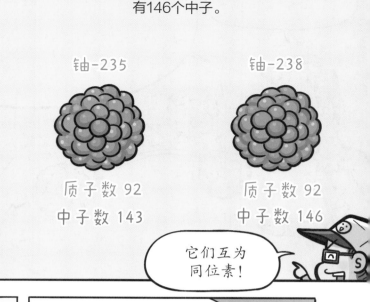

自然界中存在的铀99%以上是铀-238。

呵呵，铀-235，你别嘚瑟！

铀-238

铀-235

你算老几？

但是容易发生核裂变的是铀-235。

你别嘚瑟！

嚯！

铀-238

铀-235

嘻嘻

那么我们就要多制造一些铀-235，因为自然界中只有不到1%的铀是铀-235。

它更容易发生核裂变……

对。

数万名工作者在实验室里辛勤工作，从铀矿中提炼铀-235。

还有一点！

我们发现，铀-235进行核裂变时放出的中子被铀-238吸收后，铀-238会变成钚-239！

中子

铀-235

铀-238

钚-239

钚-239和铀-235一样，都是可以引发核裂变链式反应的物质。

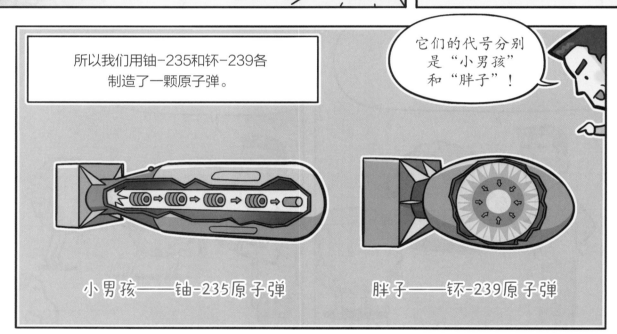

所以我们用铀-235和钚-239各制造了一颗原子弹。

它们的代号分别是"小男孩"和"胖子"！

小男孩——铀-235原子弹

胖子——钚-239原子弹

罗斯福总统计划到1945年完成原子弹的研制，今天就是第一颗原子弹试爆的日子。

这将是被载入史册的一天！

可要是使用了"小男孩"和"胖子"，会有许多人死去……

是的，可是……

哟呵，他说今天要进行试验？

J.R.奥本

咯噔

咯噔

啊，有人来了！

唰

快躲好！

咯噔

咯噔

咯吱

奥本海默博士，原子弹试爆的准备工作做好了吗？

准备好了，格罗夫斯将军。请您放心。

原子弹已经装在卡车上了，十分钟后出发。

那十分钟后外面见。

……

砰

机会来了！

?

咯噔

咯噔

快来，从后门出去，到外面去！

你要干什么？

噔噔

我现在要走了。这是原子弹的照片，送给你们吧。

咻呜

在那儿！

呼哧

呼哧

嗯

卡车门是开着的！

我要把钥匙拔下来……唉！

使劲儿……

嗖！

我偷到了钥匙！我做到了！成功了！

嘁

而且顺利结束了穿越……

没有了卡车钥匙，原子弹试爆就无法进行了吧？哈哈！

应该会搬到别的卡车上吧。

嗬！

话说回来，有人了解镜子和镜片吗？

唰

镜子和镜片可是时尚达人的必备品哟！

光彩夺目

你说什么呢？

哇哦

有镜子才能欣赏自己的美貌。

戴上隐形眼镜可以让眼睛更加明亮。

这说的都是什么啊……

不过镜子和镜片有本质上的差别。

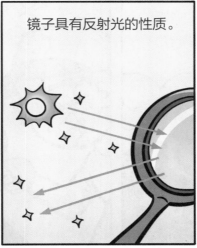

镜子具有反射光的性质。

镜片具有折射光的性质。

这才是科学角度的回答！

大家手上的凸透镜可以使光折射后聚在一点。

凹透镜

凸透镜

可是要想点起火来，就需要具备燃烧三要素。

啊哈。

！

难不成是找科学家学习了？大有长进啊。

嚯！

哐

呃？您在说什么啊？

老师好像知道了什么……

好，实验开始！

唰

刺啦 刺啦

哇，点着了！

刺啦

刺啦

注意！

本实验有一定的危险性，一定要和大人一起进行。

放学后

太阳光真是厉害!

当然了!

因为有太阳光,地球上才有生命孕育出来,万物才能生长。

这俩小孩,穿越多了,越来越聪明了。

更准确地说,是因为太阳内部发生的核聚变!

上次我们知道了原子弹是利用核裂变制造的,那聚变弹是怎么制造的呢?

来吧。

啊哈!现在变自觉了!

核聚变和炸弹的结合!

他们开始穿越了!

哼

啪

153

那我们也出发吧！

呃！

1952年
洛斯阿拉莫斯国家实验室

咦，这是上次来过的地方！

看来聚变弹也是在这里制造的！

是那俩小孩的气味，他们也来了！

嗅嗅

……

Mix应该也觉得这里的气味很熟悉吧。

哎哟喂，不是啦！

不愧是狗，鼻子真灵！

好郁闷……

请问您是爱德华·特勒博士吗?

是的,没错。你们怎么知道的?看来我还挺有名的嘛……

……

实验室的门上写了。

爱德华·特勒

原来如此……呵呵,先请进吧。

嘎吱

啪!

他们进实验室了!

偷偷摸摸

唰

你们了解原子弹吗？

这是红茶。

我们不喝，谢谢您。

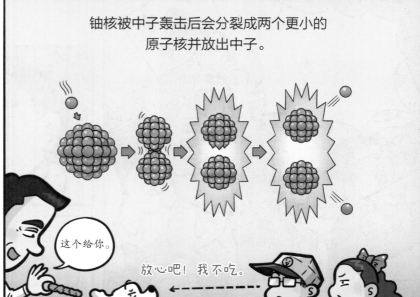

铀核被中子轰击后会分裂成两个更小的原子核并放出中子。

这个给你。

放心吧！我不吃。

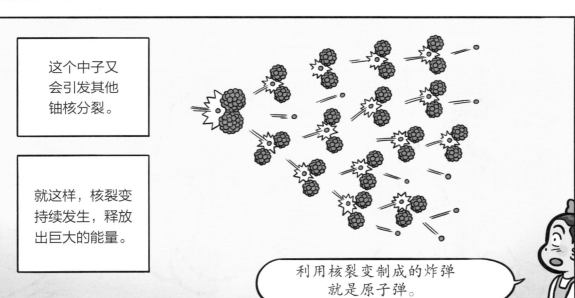

这个中子又会引发其他铀核分裂。

就这样，核裂变持续发生，释放出巨大的能量。

利用核裂变制成的炸弹就是原子弹。

你们可真了不起！

哈！

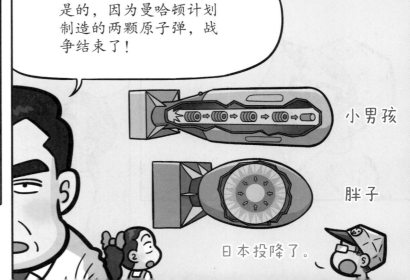

是的，因为曼哈顿计划制造的两颗原子弹，战争结束了！

小男孩

胖子

日本投降了。

独立万岁！

韩国也摆脱了日本的统治，宣告独立……

但据我所知，韩国现在和朝鲜在打仗。

是啊，百姓真是受苦了。

所以……我认为继续研究核武器是对的！

呸

为了彻底消除战争！

呸

那个……您能给我们讲讲太阳内部发生的核聚变反应吗？

好，太阳内部发生的氢原子核聚合成氦原子核的核聚变反应……

氢 H

氦 He

好

多到我们无法想象的程度。

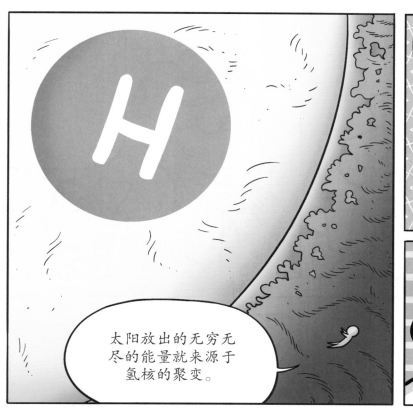

像氢这么轻的元素是怎么产生如此巨大的能量的呢？

这是个很好的问题。

太阳放出的无穷无尽的能量就来源于氢核的聚变。

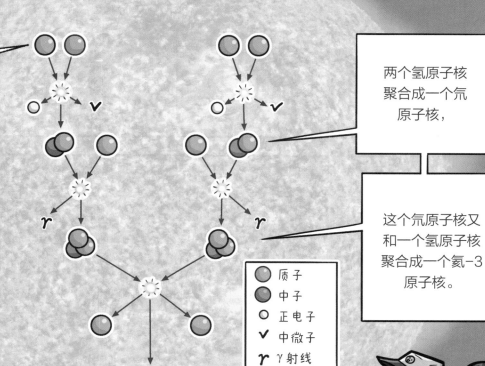

在温度高达1500万摄氏度的太阳内部，

氢以原子核和电子分离的等离子态存在。

两个氢原子核聚合成一个氘原子核，

这个氘原子核又和一个氢原子核聚合成一个氦-3原子核。

质子	
中子	
正电子	
✔	中微子
r	γ射线

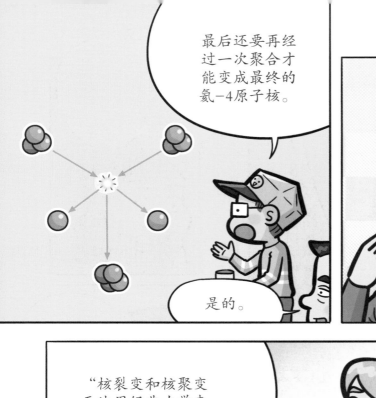

最后还要再经过一次聚合才能变成最终的氦-4原子核。

是的。

要是研究量子隧穿效应的伽莫夫博士在的话，他一定会说……

"核裂变和核聚变无法用经典力学来解释，只能通过量子力学来解释。"

没错，他一定会这么说！

核聚变发生时，原子核会损失一部分质量。根据质能等价原理，损失的这部分质量会转化成巨大的能量并释放出来。

$$E = mc^2$$

啪

真是的……他们完全无视经典力学！

发抖 发抖

这次我一定要阻止他们！

怎么阻止？

不知道。

哇！ 哇！

?

嚯！这不是奥本海默博士吗？

强烈反对研制氢弹！

你们想让地球灭亡吗？

耶！今天运气真不错啊！

这里就是爱德华·特勒博士的实验室！

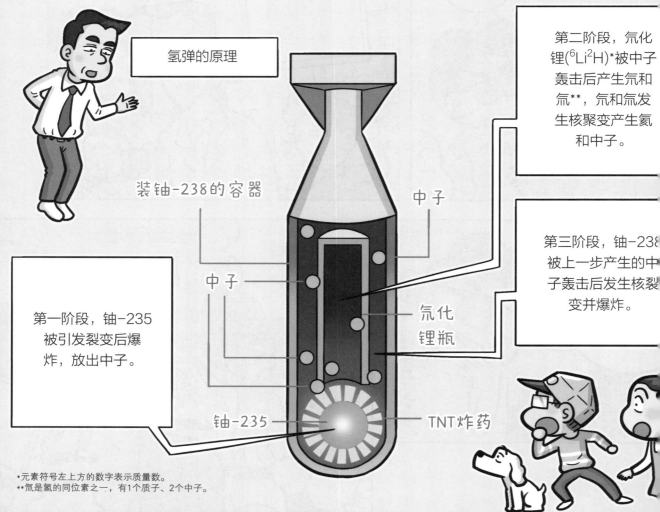

氢弹的原理

第一阶段，铀-235被引发裂变后爆炸，放出中子。

第二阶段，氘化锂(^{6}Li^{2}H)*被中子轰击后产生氚和氘**，氚和氘发生核聚变产生氦和中子。

第三阶段，铀-238被上一步产生的中子轰击后发生核裂变并爆炸。

装铀-238的容器

中子

中子

氘化锂瓶

铀-235

TNT炸药

*元素符号左上方的数字表示质量数。

**氘是氢的同位素之一，有1个质子、2个中子。

这么说氢弹同时利用了核裂变和核聚变。

氢弹

这样的氢弹又被叫作三相弹。

Fission-Fusion-Fission

裂变 - 聚变 - 裂变

噢!

喧哗

强烈反对研制氢弹！

瓦，奥本海默博士！

咯噔

特勒博士，请立刻中断氢弹研究！

博士……

嗷呜呜！

喵嗷嗷！

我研制原子弹的后果你也看到了！

造成那么多人员伤亡。

因为原子弹，我成了人们眼里的死神。

汪汪 喵喵

特勒博士，我不希望你也变成这样……

氢弹研制已经完成了。现在只剩下试验了！

你和我犯了同样的错误！

爱因斯坦博士也说过研制核武器是他人生中最大的失误。

请尽快放弃吧！

事到如今……我不能就这么放弃！

氢弹的威力要比原子弹强1000倍！

人类会全部灭亡的！

奥本海默博士！如果我们不造，苏联就会先造出氢弹！

那我们就会遭殃！

所以我们应该和苏联协商，都停止制造。

博士，我们能相信他们吗？

没有别的办法。今天……我会进行氢弹爆炸试验。

……

量子力学会让人类灭亡的！

咦，那个人是……

呃！

唰

等等……我在哪里见过他？

我再也不想见到你！

博士……

啪

……

唉，孩子们。我该去进行氢弹试爆了。

这是我写的关于氢弹的论文。

谢谢……

太难受了……真是个悲伤的故事。

那只臭猫，我还没好好教训它呢！

刚才谢谢你帮我们。

嘿嘿，没有啦。

需要我帮助的话可以随时联系我。

好的！

咻鸣

科技能让我们的生活变得更加便利，但也能给人类的生存带来威胁。

所以科学家的道德意识非常重要。

嗅嗅

呃！这气味是？

呵呵……竟然拿到了奥本海默的联系方式！

！

利用这个就能阻止量子力学的发展……

啪

啊！

啊，被抢走了！Mix，这只讨厌的狗！

糟糕！

嘿嘿

？

我好好收拾了那俩坏蛋。

嘿嘿

Mix，你有什么开心的事吗？

嘿嘿

你看这个，这是名片！奥本海默博士的名片！

都说了别捡这些街头广告回来！

嚯

先放口袋里，待会儿再扔。

好啦，抱抱你！

不是啦……

哼

那只狗真讨厌……我要采取手段了，绝不放过它！

费米教授的核反应堆，你说的是芝加哥一号堆？

我也不知道叫什么名字。

那个小孩，和之前穿越时见到的小孩长得一样！

第二天

我们得仔细盯着！

是。

什么？梦里有个小孩拿着炸药想搞恐怖袭击？

嗯，梦里的感觉特别真实。

旁边有科学家吗?

成功了!核反应堆终于建成了!

嗯……只看到了背影,好像是恩里科·费米教授。

费米教授也是和量子力学有关的科学家吗?

嗯。

以前和Mix穿越的时候见过他。

都说梦会成真……

你说什么呢!

你是希望真的袭击发生吗?

不是啦,我是在想这次穿越去见见费米教授怎么样?

又来!

好,去见见费米教授吧!

费米和核反应堆的结合!

啪

快去看看什么是核反应堆!

这次一定要成功！

费米和核反应堆的结合！

1945年7月17日　美国芝加哥大学

哇！

第一颗原子弹爆炸后的第二天

芝加哥大学运动场下面竟然有实验室！

！

你们……有什么事？

果然是费米教授！很高兴再次见到您！

什么？我们之前见过吗？

是吗？

啊……没有！您太有名了，让我有种似曾相识的感觉。

怎么一会儿记得，一会儿不记得……

呼——

175

我们想了解一些关于核能的知识。

哦，是吗？

那么你们……

知道量子力学吗？

当然啦！

道尔顿

原子论

玻尔

原子模型

发现电子

哥本哈根解释

发现中子

不是普通的小孩啊。

我们都懂。

原子弹和氢弹！

教授，您也参加曼哈顿计划了吗？

是的。1938年获得诺贝尔奖后，我流亡到了美国。

之后和奥本海默教授一起参与了曼哈顿计划。

昨天是原子弹试爆成功的日子。我们是世界上最早成功的，比德国早！

要是没有在这座核反应堆里进行核裂变链式反应实验，原子弹是不可能这么快研制成功的！

呸

偷偷
摸摸

唰

每次我们都
晚一步。

这次做好准备了吗？

喵？

当然，我要炸掉这
个实验装置！

惊

铀核裂变时放出的
中子能量巨大，
而且速度很快。

你无法控制我！

啪

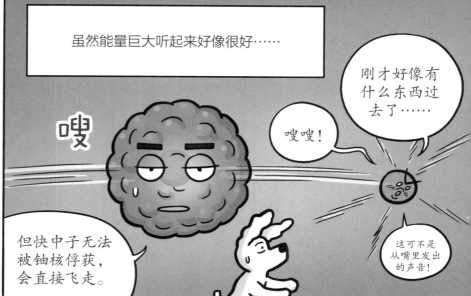

虽然能量巨大听起来好像很好……

刚才好像有什么东西过去了……

嗖嗖!

嗖

但快中子无法被铀核俘获,会直接飞走。

这可不是从嘴里发出的声音!

那我们就得降低中子的速度!

啊啊啊

没错!

用来降低中子速度的物质叫中子减速剂。

嘀

中子减速剂

请遵守限速规定!

中子减速剂要能降低中子的速度,但又不能吸收中子。

噗!

×

因为如果它吸收了中子,其他铀核就无法继续裂变了!

说得对。

179

经过反复研究……

我决定用石墨做减速剂！

石墨……您说的是铅笔芯里的东西吗？

对，使用没有杂质的纯石墨给快中子减速，从而引发核裂变的链式反应。

你看这里。

把石墨、金属铀和氧化铀*依次堆放在一起。

嚯，竟然使用石墨！

*指铀和氧的化合物。

我还以为这里堆放的是黑色的砖块呢。

还有点儿像炭……

我们把它叫作芝加哥一号堆。

芝加哥一号堆

芝加哥一号堆？

由"芝加哥"和……

"一号堆"两个词组合而成。

芝加哥一号堆……我要炸掉它！

什么时候？

等他们都走了以后……

隆隆

原子弹的威力比我估算的要大很多。

这也可以估算出来吗？

当然！

你能估算出芝加哥一共有多少名钢琴调音师吗?

什么?现在?

这也太突然了吧。

我们来仔细想想。

芝加哥大约有多少人?

大概不三百万……

假设一个家庭有3口人,那芝加哥就有大约100万个家庭。

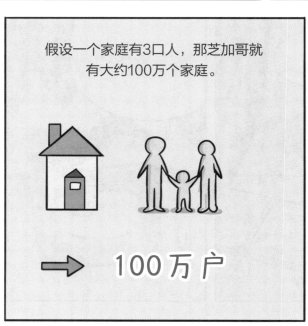

➝ 100万户

如果钢琴普及率是10%,那就有10万家庭拥有钢琴。

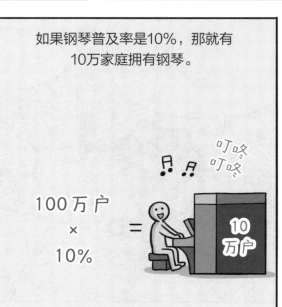

100万户 × 10% = 10万户

叮咚 叮咚

假设一架钢琴一年需要调一次音,而调一次音要花两小时。

如果一名调音师一天工作8小时,一天就能为4户人家调音。一周工作5天,一年工作50周……

嗯!

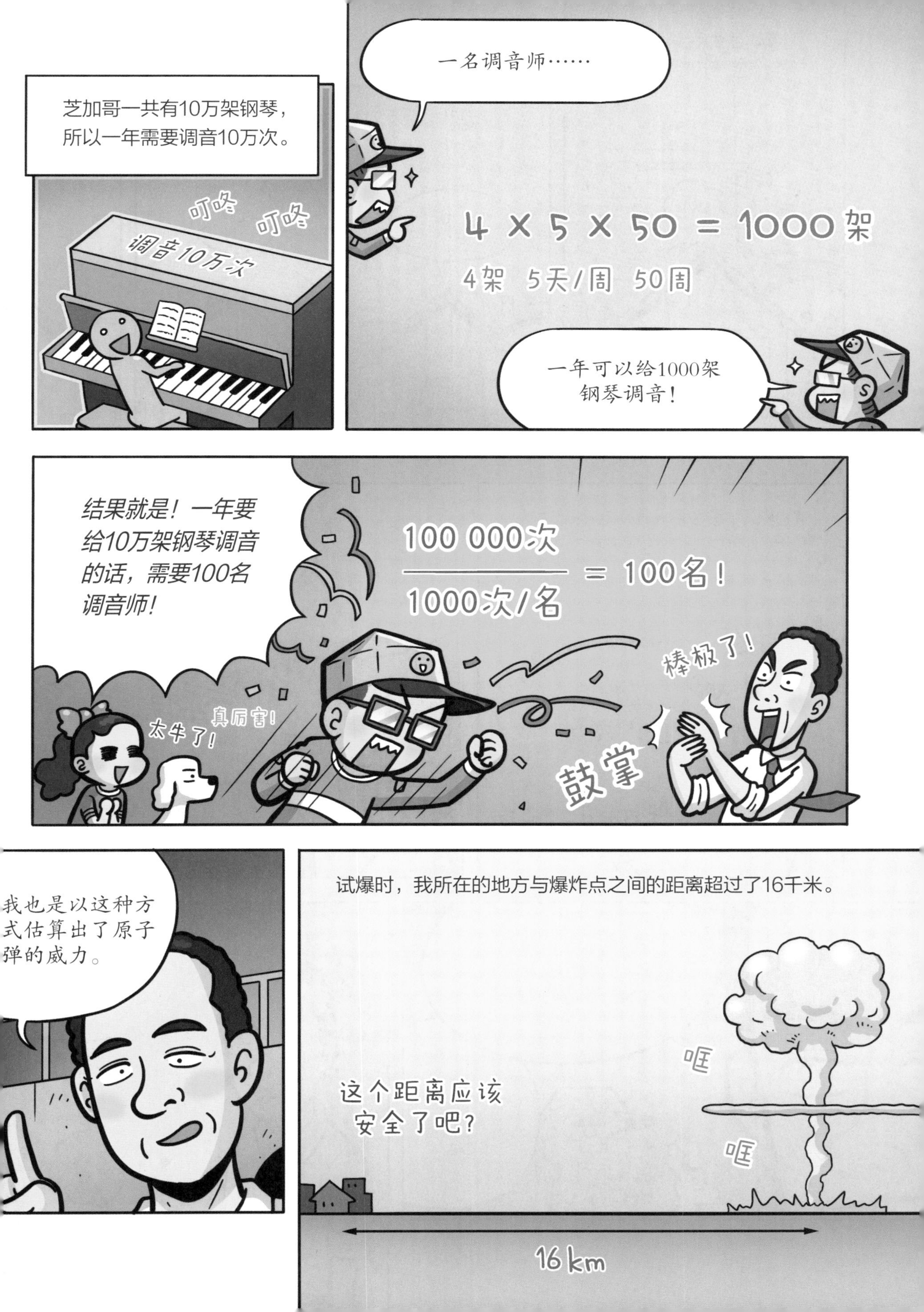
芝加哥一共有10万架钢琴，
所以一年需要调音10万次。
叮咚
叮咚
调音10万次
一名调音师……
4 × 5 × 50 = 1000架
4架 5天/周 50周
一年可以给1000架
钢琴调音！
结果就是！一年要
给10万架钢琴调音
的话，需要100名
调音师！
100 000次 / 1000次/名 = 100名！
棒极了！
真厉害！
太牛了！
鼓掌
我也是以这种方
式估算出了原子
弹的威力。
试爆时，我所在的地方与爆炸点之间的距离超过了16千米。
哐
这个距离应该
安全了吧？
哐
16 km

爆炸发生后第40秒，
我感受到了冲击波。

咣 咣 咣

冲击波到来前

……38，
39……

冲击波经过时

40！

咣
咣

冲击波经过后……

• • • •

在这3种情况下，分别把小纸片从
大约180厘米高的地方撒下……

结果，冲击波经
过时小纸片被卷
到大约2.5米高
的地方。

咣
咣
咣

我之前估算的原子
弹的威力跟一万吨
TNT炸药的相当。

哇！实际
上也是这
样吗？

实际上相当于
两万吨TNT炸药
的威力……

这种估算方式叫作费米估算，哈哈！

科学家们真的很喜欢用自己的名字命名。

我想把核能用在战争和武器以外的地方。

比如核能发电！

制造原子弹需要把铀-235的丰度提升到90%以上，也就是把铀浓缩到90%以上。

提炼！

但是铀浓缩到3%~4%后慢慢进行核裂变，就可以用于发电，产生的能量非常大。

福岛核事故

核能的存在具有一定的危险性。

当然，安全才是最重要的！

是的！！

这聊得也太久了吧！

看我的！

你要干什么！

唰 唰

博士！

？

奥本海默博士有事要见您，他说和原子弹有关……

是吗？

你们先等会儿，我马上回来！

好像在哪里见过她……

好。

噔

噔

苹果很好地完成了自己的任务。

偷偷摸摸

嗖

喵

另一边

怎么没有爆炸?

安————静

……

怎么没爆炸!

屁股都露出来了!

哐

呼

呼

天哪……不敢相信梦里的事情竟然真的发生了!

这是被咬下的裤子碎片,也许是线索。

我们回去吧。

这次可多亏了我!

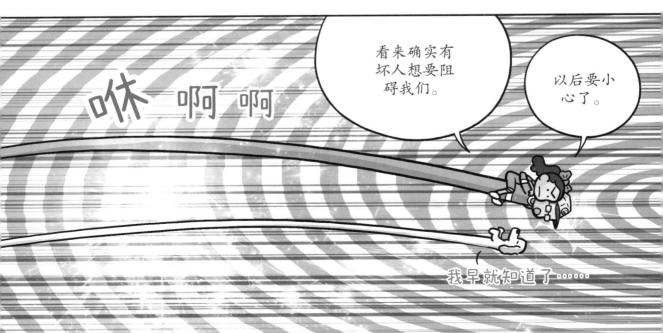

咻 啊 啊

看来确实有坏人想要阻碍我们。

以后要小心了。

我早就知道了……

第十话
伍尔索普留下的线索
刺啦
呼——
从裤子上咬下来的碎片
上次太危险了，那个小孩到底是谁？
哐
被我发现了！
惊
你在看什么呢？是不是穿越带回来的？
喂！你，你……你不知道敲门吗？
汪
我就想吓唬吓唬你，怎么还结巴了？很可疑啊。

来，吃零食！

爷爷真把我们当狗了！

狗狗零食

我本来就是狗。

哇，土豆

是啊，爷爷带来给你们做土豆饼的。

土豆饼！

小多，你怎么了？

想起以前了，我吃了太多土豆饼，结果拉肚子了。

啊，对，确实是这样。

那我给你做炸土豆吧。

别担心。

怎么回事？有点儿怕……

哇，爷爷，您的厨艺真棒！

太好吃了！

谢谢。

历史纪录

历史纪录片 咕咕

投下原子弹

轰隆隆

距离美国空投原子弹已经有这么久了啊。

是啊，曼哈顿计划制造的两颗原子弹被投到了日本。

嘟嘟

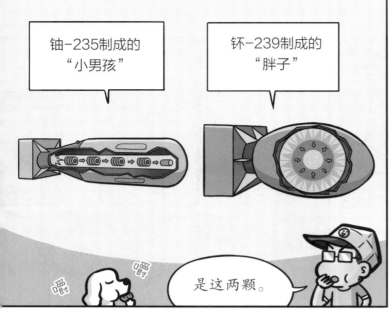

铀-235制成的"小男孩"

钚-239制成的"胖子"

是这两颗。

哎呀，你连这个都知道，真厉害。

这是什么姿势？

哈哈，要想成为万人迷，学识和外貌必须兼备。

帅气 帅气

还万人迷呢……就你这样，连朋友都交不到吧。

嚼嚼

喂！

爷爷，您研究的是物理学的哪个分支呢？

转移话题？看来是慌了。

我研究的是核物理。

所以您知道怎么造原子弹对吧？

听说汤川秀树教授有一个竞争对手。

朝永振一郎教授！他是第二个获得诺贝尔奖的日本人。

又是诺贝尔奖！

到目前为止，日本共有28位诺贝尔奖获得者（包括3名美籍日裔）！*

这么多？

其中物理学家就有12位！

哇！

韩国物理学领域一位都没有呢……

*截止到2021年。

小多长大以后努力做研究，说不定能成为韩国第一位诺贝尔物理学奖获得者呢！

哎哟，又开始自我陶醉了。

朝永教授比汤川教授大一岁，
俩人是同学。

他们有很多共同点。

他俩的父亲都是京都大学的教授。

他俩都对当时创立不久的
量子力学很感兴趣。

量子力学

那他俩的不
同点呢？

当然也有。

汤川教授一直在日本学习，

而朝永教授是留学回来的。

德国

朝永教授和海森堡教授一起做过研究。

我觉得汤川教授更了不起。

朝永教授好厉害。

我觉得土豆最棒！

为什么？

因为他只在日本国内学习，就获得了诺贝尔奖。

炸土豆也好棒！

啊哈。

朝永教授的研究方向是什么呢？

他研究的是量子电动力学。

量……量子……电动力学。

那就是……用量子力学来解释电动力学？

呼

凌晨两点了，小多的问题真是绵绵不绝啊。

量子电动力学……

我干脆装睡吧！

呼！

爷爷！能给我说说量子电动力学吗？睡着了！

呼

呼

第二天

上次他俩看到我了，我有点儿担心。

没关系，反正穿越以后我们就变成小孩子了。

喵！

上次的爆炸计划有点儿过分了，很可能造成伤亡。

那是……为了清除核反应堆，实在没有办法了。

再说也没成功！

我不希望有人受伤。

今天我们要见一个人。

谁啊？

日本的朝永振一郎教授，曾经是爷爷的老师的竞争对手。

是研究量子电动力学的学者。

哇！竞争者……一定很有趣！

我准备好了！

电动力学和量子力学的结合！

啊，他们出发了！

我们也出发！

电动力学和量子力学的结合！

1947年 日本东京大学

这里是朝永教授的研究室。

看来那位就是。

嘘，安静！别被听见了。

安静什么安静，反正要打招呼。您好！

汪！

哎哟喂，吓我一跳！

你们是谁？

哎呀，真是！

怎么了？

朝永教授，我爷爷向我说起过您……

你爷爷研究量子力学吗？

啊，不是的，他只是感兴趣。

干得漂亮。

我想请他给我说说量子电动力学，结果他太困了，睡着了……

所以我来向您请教。

哦，是吗？像你们这么好学的孩子，我随时欢迎！

教授，量子电动力学到底是什么呢？

那只臭猫又来了吗？嗅 嗅

嗯，简单地说就是把电动力学量子化。

嘿嘿，不懂……

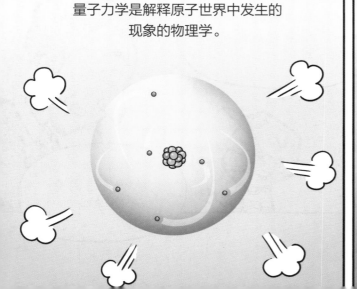

量子力学是解释原子世界中发生的现象的物理学。

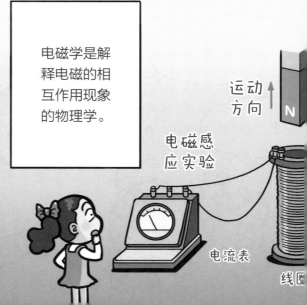

电磁学是解释电磁的相互作用现象的物理学。

运动方向

N

电磁感应实验

电流表

线圈

英国理论物理学家麦克斯韦在19世纪60—70年代完善了电磁学理论，并将其总结为四个方程。

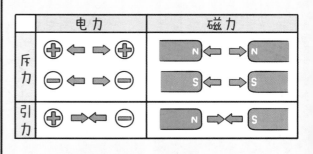

电力和磁力是不同的力吗？

	电力	磁力
斥力	⊕ ← → ⊕ ⊖ ← → ⊖	N ← → N S ← → S
引力	⊕ → ← ⊖	N → ← S

本质上是相同的！

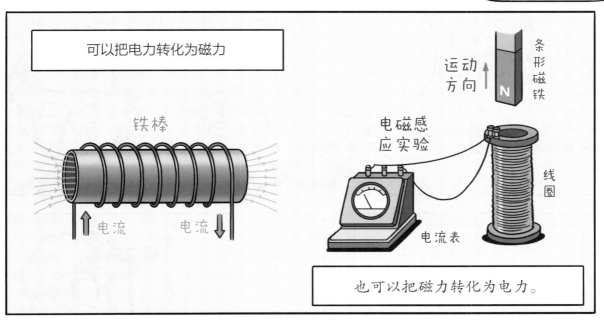

可以把电力转化为磁力

铁棒

电流　电流

运动方向

条形磁铁

N

电磁感应实验

线圈

电流表

也可以把磁力转化为电力。

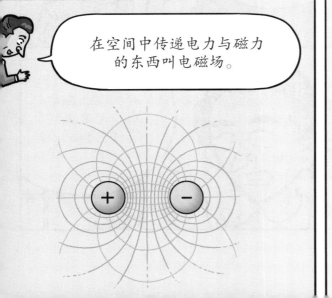

在空间中传递电力与磁力的东西叫电磁场。

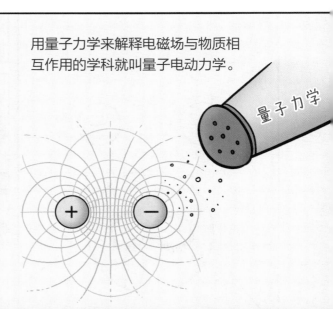

用量子力学来解释电磁场与物质相互作用的学科就叫量子电动力学。

量子力学

那么电磁场中出现的所有现象都可以通过量子力学来解释喽。

电磁场

量子力学

这就是量子电动力学。

是的。

量子电动力学

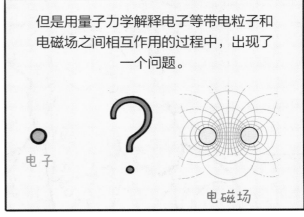

但是用量子力学解释电子等带电粒子和电磁场之间相互作用的过程中，出现了一个问题。

电子

电磁场

存在问题说明理论还不完善嘛。

是的，没错。

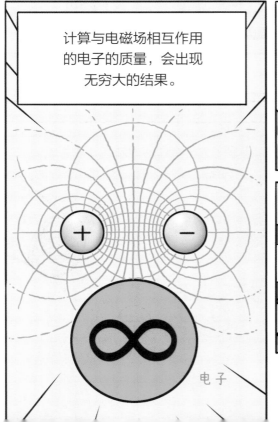

计算与电磁场相互作用的电子的质量，会出现无穷大的结果。

＋

－

∞

电子

电子的质量无穷大？这怎么可能。

对，在物理学中，无穷大没有任何意义。

那么教授怎么把这个问题……

是的，我把这个问题解决了。

我把相对论应用到量子力学中……

建立了能使电子质量不为无穷大的理论。

这个理论解决了问题，完善了量子电动力学。

量子电动力学

呃，这个气味是？

您是朝永振一郎教授吧？

我是。

Mix，安静！

汪汪

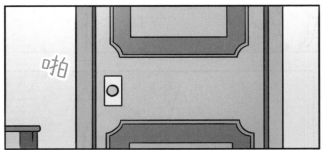

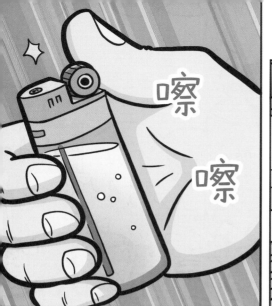

呃，他没有找我啊。

嚯，桌子上怎么着火了！

熊熊燃烧

啪

刺刺刺

呼——差点儿就麻烦了。

刚才那个姐姐在您桌子上点火！

什么？

啊?
不见了!

墨镜? 难道和那个人是一伙的? 又是一条线索!

教授……文件都烧掉了! 怎么办?

没关系,原件我都另外保存好了。

呼——幸好幸好。

唰 啊

穿越变得危险重重! 那个人到底是谁?

坏蛋们越来越嚣张了……小多他们会怎么化解危机? 请大家继续关注他们的穿越之旅!

应该咬得再用力一点儿……

头脑风暴！
迈特纳的判断题

小多和敏书向莉泽·迈特纳学习了与核裂变相关的知识！
接下来，我们看看大家是否都理解了。
表述正确的选○，表述错误的选✖。

 ❶ 铀在原子核被中子轰击后会变成比铀重的元素。 ○ ✖

 ❷ 根据爱因斯坦的质能等价原理，核裂变时会放出巨大的能量。 ○ ✖

如果能答对这些，就说明掌握了与核裂变相关的知识！

 ❸ 铀发生核裂变时放出的中子会引发链式反应。

 ❹ 制造原子弹应使用更容易发生核裂变的铀-238。

 ❺ 原子弹的原理和太阳产生能量的原理相同。

 ❻ 制造氢弹同时利用了核裂变和核聚变。

 ❼ 为了更好地触发核裂变，需要使用减速剂来减慢中子的速度。

答案见第212页。

经典力学还是量子力学，
这是一个问题！

❶ 量子力学

❷ 经典力学

❸ 量子力学

❹ 量子力学

❺ 量子力学

❻ 经典力学

头脑风暴！
迈特纳的判断题

❶ ✖（铀在原子核被中子轰击后会分裂成比铀轻的元素。）

❷ ◯

❸ ◯

❹ ✖（制造原子弹应使用更容易发生核裂变的铀-235。）

❺ ✖（原子弹的原理是核裂变，太阳产生能量的原理是核聚变。）

❻ ◯

❼ ◯

초등학생을 위한 양자역학 4（Quantum Mechanics for Young Readers）

Copyright © 2020 by 이억주（Yeokju Lee, 李亿周）, 홍승우（Hong Seung Woo, 洪承佑）, Donga Science, 최준곤（Junegone Chay, 崔峻锟）

All rights reserved.

Simplified Chinese language edition is arranged with Bookhouse Publishers Co., Ltd through Eric Yang Agency.

Simplified Chinese translation copyright © 2022 by Beijing Science and Technology Publishing Co., Ltd.

著作权合同登记号　图字：01-2022-1350

图书在版编目（CIP）数据

量子物理，好玩好懂！. 4, 原子弹的秘密 /（韩）李亿周著；（韩）洪承佑绘；王忆文译 . —北京：北京科学技术出版社，2022.11（2024.3重印）
ISBN 978-7-5714-2212-7

Ⅰ . ①量…　Ⅱ . ①李… ②洪… ③王…　Ⅲ . ①量子论 – 儿童读物　Ⅳ . ① O413–49

中国版本图书馆 CIP 数据核字（2022）第 048552 号

策划编辑：刘珊珊	邮政编码：100035
营销编辑：贺琳子　王艳伟	电　话：0086-10-66135495（总编室）
责任编辑：樊川燕	0086-10-66113227（发行部）
责任校对：贾　荣	网　址：www.bkydw.cn
封面设计：北京弘果文化传媒	印　刷：北京宝隆世纪印刷有限公司
图文制作：天露霖	开　本：787 mm × 1092 mm　1/16
责任印制：张　良	字　数：169 千字
出 版 人：曾庆宇	印　张：13.5
出版发行：北京科学技术出版社	版　次：2022 年 11 月第 1 版
社　址：北京西直门南大街 16 号	印　次：2024 年 3 月第 4 次印刷
ISBN 978-7-5714-2212-7	

定　价：56.00 元